悪魔の英語術

黒田莉々
Kuroda Lily

インターナショナル新書 108

はじめに

「英語が話せると得をするの?」

英語を教えているとよく受ける質問です。「得」の定義によりますが、英語が話せると、体験できる世界が何倍にも広がることは確かです。英語を話す人々は、地球上に15億人もいると言われています。それに対して日本語の話者は、おおよそ1億2～3千万人くらいだそうです。英語の世界は、単純に日本語の世界と比較して、10倍以上も大きいことになります。情報量や種類がそれだけ多く、人脈も大きく膨らむでしょう。英語を学習して世界を広げると、その分チャンスも大きく広がると期待できるため、英語を操れるようになりたいと思う人が多いわけです。2020年からは小学校で英語の授業が必修科目となりました。これからも英語力は必須技能という認識がますます強くなってゆく一方でしょう。

しかし、英語の世界には、日本人にとっては予想外であったり、不思議に思えたりする言動がたくさん飛び交っていて、驚かされることがあります。いわゆるカルチャーショックというものです。このカルチャーショックが生まれる理由を知ることで、英語の世界に近づくことができるのではないかと考えました。

アメリカをはじめとする広大な英語の世界には、日本とはまったく異なる価値観が存在しています。人の価値観は、その国や地域の文化や生活様式、宗教、そして幼いころから教え込まれる道徳観などにより形成され、それがダイレクトに言動に反映されます。

英語学習の濃度や海外経験の有無にかかわらず、誰しも一度や二度は外国人とコミュニケーションを取ったことや、もしくは取ろうとしたことがあると思います。本書を手に取った方であれば、英語の習得、外国人とのコミュニケーションに、少なからず興味があるはずです。そんな皆さんは、外国人とのコミュニケーションで、彼らの言動やリアクションに驚いたことはないでしょうか。

とある採用面接にて

私は何年か前に、ある日本人ミュージシャンの通訳として、アメリカのルイジアナ州ニューオリンズへ行きました。数日間にわたる現地ミュージシャンたちとのレコーディングイベントだったのですが、始まってみると想定以上の雑務が発生し、困った主催者が、急遽（きゅうきょ）「日本語を話せるバイト」を現地募集すると言い出しました。人づての口コミ急募であったにもかかわらず、思ったよりたくさん（といっても5人ほどですが）の応募がありました。日本語が話せてしかもヒマな人って意外といるもんだなと思いつつ、採用面接に臨んだ私は、そこでアメリカ人の恐るべき性根を目の当たりにしたのです。

“So, you speak Japanese?”

（日本語が話せるんですよね）

そう面接で切り出すと、全員がほぼ同様の返答をしました。

“Sure, I know Japanese！ SUSHI, TERIYAKI, SAKE......”

（ええ、日本語なら知っていますよ！ スシでしょ、テリヤキでしょ、それにサケ……）

皆がこのように、ジャパニーズなモノの名前を列挙したのです。ある人はフジヤマ、ゲイシャ、また別の人はマンガ、カワイイなどなど。1人だけ「コニチワ～！ オハヨゴゼマス」と言えた人がいたくらいです。それなら私はすでに10カ国語以上ペラペラだよ、とすっかり呆れてしまったのですが、背に腹は代えられず、その中から、「コニチワ～」と頭一つ抜きん出た日本語運用力を見せてくれたおじさんと、タトゥーの量が他の人より若干控えめな若者、というマシそうな2人を採用することになりました。

ふてぶてしいにもほどがある……。このエピソードに、きっと読者の皆さんも、そのときの私同様に呆れているのではないかと思います。しかし、これは私にとってはとてもよい意味でのカルチャーショックで、アメリカ人的マインドとも言うべき、彼ら独特の思考回路を目の当たりにする貴重な経験になりました。考えてみてください。彼らは雇われたのですよ。お仕事GETです。もし彼らが、「ああ、僕は『スシ』とか『サケ』とかそんな単語しか知らないし、これじゃとうてい日本語を話せるとは言えないな。だからこの仕事に応募するなんておこがましいよな」と「謙虚」に考え、応募を「遠慮」していたなら、この仕事をGETできる確率は、間違いなく0％だったのです。「二度と会わないであろう日本人（私）にふてぶてしいヤツと思われること」と「効率よく稼げるおいしい仕事をGETすること」、この2つを天秤にかけると、前者なんて屁でもないってことです。もっと言えば、仮に私に毎日会うことがあったとしても、私がどう思うかなんて彼らはまったく気にもしないでしょう。そもそも、ふてぶてしいことをしたという感覚すらないかもしれません。欲しいものを手に入れるために必要な行動をする。シンプルにそれだけなのです。

この出来事が起きた街・ニューオリンズは、The Big Easyというニックネームで親しまれています。大都会ニューヨークがThe Big Appleと呼ばれていることに対抗し、ニューオリンズの人々の“Take it easy!”（のんびり行こうよ）というおおらかな気質を反映して付けられた愛称だそうです。何ごとに対してもeasy-going（のんびり）で、あまり深刻に捉えずのんきに構える人が多いニューオリンズだからこそ、あのような出来事が起きたのかなとも思います。同じアメリカでも、The Big Apple、ニューヨークのような大都会では、もっと競争も激しく情報も多いでしょうから、戦略もおのずと違ってくるかもしれません。日本語を使う仕事の面接となれば、付け焼き刃のようにでも日本語のフレーズをいくつか覚えて面接に臨むとか、日本語はできないけどその分しっかり仕事しますとアピールするとか、ニューヨーカーはもうちょっと説得力のある別のアプローチでやってきそうな気がします。しかし、やり方こそ違えども、合理性を重視し、主張すべきことは遠慮せずに主張し、他人がどう思うかよりも自分自身の考えを優先する、という根底にある物事の考え方は同じです。アメリカ人には、そういうアメリカ人特有のマインドが根付いているのです。

おりこうさん英語

ニューオリンズでの出来事を機に、私は改めて、それまで漠然と受け入れてきたアメリカ人の不思議な言動や習性を思い返して考えました。なぜ見知らぬ相手にでもあんなに人懐っこく話しかけるんだろう。なぜ裸足で外を歩いて恥ずかしくないんだろう。なぜ臆せずにものを言えるんだろう。理由はシンプル。それが彼らには「普通」だからです。そして、それが私たち日本人にとって「不思議」に思えるのは、それが「普通」とは受け取れない、つまり私たち日本人のマインドが、彼らとは異なる価値観をもとにできあがっているからです。

英語はコミュニケーションのツールです。そしてコミュニケーションとは、心のうちにあることを、文字や話し言葉で表現し、相手との共通認識としてやりとりする行為であり、つまり、そこには話者の心の中＝マインドが反映されます。アメリカ人と英語でコミュニケーションしようとするのであれば、彼らのマインドを知ったうえで言葉を受け取れば、表面的な言葉の意味以上に、より的確にその意図を理解することができるでしょう。また伝える側としても、彼らのマインドを踏まえて表現すれば、相手が難なく受け取れる自然なコミュニケーションになるはずです。

日本には世界に誇れる日本独特の美徳があります。人を敬い、ものを大切に扱う。でしゃばらず寡黙でいる。人に迷惑を掛けない。我慢する。私たち日本人は、幼いころからこういったことを美徳として教えられて育ちます。それが日本人のマインドです。日本語には、相手を敬う表現方法が、丁寧語、尊敬語、謙譲語と3種類もあり、私たちは日々それを駆使して人と接しています。日本人は、概して「おりこうさん」なのです。日本人の「おりこうさん」を基準に考えると、アメリカ人の大胆さや合理的なものの考え方は対極に近いマインドだと言えます。ちょっと「悪魔」的にすら思えます。英語でコミュニケーションをするとき、日本人が身にまとっている「おりこうさん」な部分を思い切って削ぎ落とし、そこに少々「悪魔」的に感じるアメリカ的なマインドを取り入れてみようというのが『悪魔の英語術』の趣旨です。誤解を招かないように補足しますが、アメリカで大学生活を送った私にとって、アメリカは第二の故郷と言っても過言ではなく、母国日本に次いで好きな国です。友人もたくさんいます。アメリカ人のことを邪悪な悪魔だと思っているわけではありません。「悪魔の英語術」というネーミングは、良い意味で明るく自由なアメリカ人のマインドを積極的に取り入れ、英語を理解するヒントとし、そして表現を磨こうという考え方から来ています。

本書は、ちょっと悪魔的な架空のキャラクターであるアメリカ人 Lily（リリー）さんの視点で「悪魔の英語術」を指南します。自由奔放（ほんぽう）でフレンドリーだけど強気ではっきりものを言う彼女と、英語を学習中のまじめな日本人会社員のヤマトという「おりこうさん」代表のキャラクターを通じ、マインドの違いを浮き彫りにしつつ、英語を学習するうえでのおりこうさんの削ぎ落とし方、アメリカ的マインドの取り入れ方を具体的に紹介します。悪魔的なスパイスの効いたLilyさんの解説や、彼女とヤマトとの対話を通してご紹介する「悪魔の英語術」が、少しでも英語習得の近道となり、気負わず英語を楽しむきっかけとなれば幸いです。

目次

第1章

脱・おりこうさん英語

日本人が英語を話す際、相手を思って丁寧に述べたつもりが、アメリカ人にとっては奇妙なものとして受け取られてしまいがちです。
その原因にあるマインドの違いを、日本人会社員のヤマトとアメリカからやってきたLilyさんの会話から学びましょう。

新しい同僚はアメリカ人

日本人にとって、英語は簡単にマスターできる言語ではありません。日本語とは成り立ちや発展の経緯はもとより、文字自体も発音のルールもまったく異なり、文法も違います。文法が似ている言語を話す人や、ルーツが同じ言語を母語とする人々と比較すると、日本人が英語を習得するハンデは大きいと言えます。英文法、単語やイディオム、リスニング、発音……、英語習得のために取り組むべき課題は広く深く多岐にわたります。しかも、文法や、単語、イディオムを覚えれば、たちまち英語が操れるというわけでもありません。言語そのものだけではなく、なぜそのような表現をするのか、なぜ返答がそうなるのか、そういった話者のマインドを理解していないと、自然な表現にならないことがあるのです。ではどうすればよいでしょうか? まずは、英語を話す世界と、そこにいる人のマインドを知るとよいでしょう。

本書では、若い日本人会社員のヤマトと彼のアメリカ人の同僚Lilyという2人のキャラクターのやりとりから、自然な英語を表現するためのマインドを探っていこうと思います。ヤマトは、真面目で礼儀正しい典型的な「おりこうさん」タイプの日本人青年です。一方、アメリカ人らしく明るく陽気なLilyは、躊躇（ちゅうちょ）したり物おじしたりすることなくハッキリものを言うタイプで、彼女の言動からは、一般的な日本人とは違う大胆さや強さが感じられます。英語が好きで熱心に勉強を続けているヤマトですが、日本で生まれ育ち、日本人マインドで物事を考える彼は、どうしても日本語から英語へと直訳しがちです。どのような発想の転換をすれば、うまく英語表現のポイントをつかめるでしょうか。アメリカ的なマインドを知ることによって、彼が英語を話すときの発想にどのような変化があるでしょうか。

ヤマトとLilyは架空のキャラクターです。ヤマトは日本、Lilyはアメリカという違った文化を背景に育ってきた人物として描いています。日本人とアメリカ人のマインドは、それぞれのステレオタイプでは語り切れないものではありますが、本書では、その違いをわかりやすく浮き彫りにするために、2人の性格を少し典型的に強調して描いています。あくまでも、英語表現をする際の発想のヒントをわかりやすくするためであり、どちらのマインドがよい悪いという比較や評価をしているものではありません。

では、2人の日常を覗いてみましょう。

商社に勤務して1年目のヤマトは、英語が好きで学

生時代から熱心に勉強しています。そんなヤマトのチームに、初めてアメリカ人の同僚が赴任して来ることになりました。その情報を知って以来、ヤマトはオンライン英会話などでいっそう熱心に英語の勉強に励んでいます。ニューヨーク支社からやってくるLilyという女性は、ヤマトより2年先輩にあたります。英語はもちろんですが、お父さんが日本人ということで日本語も堪能です。ヤマトは、一緒に仕事をしながら、彼女から英語を学べればいいなと思い、彼女の着任に先立って挨拶のメールを送ることにしました。英語でメールを書くにあたり、まずは下書きを用意しました。先輩なので、失礼にならないよう文例集を参考に気を付けて書きました。

> Lily様
> 日差しがずいぶん夏らしくなって参りました。いかがお過ごしでしょう。お忙しいところ、お邪魔して申し訳ありません。はじめてメールを差し上げます。ご無礼のほど、なにとぞご容赦ください。
> 私は、来月から同じチームでお仕事をさせていただくヤマトと申します。Lilyさんより2年後輩です。英語が堪能なLilyさんのもとで一緒に働けることをとても楽しみにしております。

英語がまったくできないので、色々とご迷惑をおかけすることになるかもしれませんが、機会があれば英語を教えて頂ければありがたいです。今はへたで恥ずかしいのですが、これから勉強していきたいと思います。どうぞよろしくお願いいたします。

「よし！　これを英語に直すぞ」そう思ったヤマトですが、文法や言い回しが間違っていないか心配になって自信が持てず、翻訳ソフトの助けも借りて以下のように記しました。

Dear Ms. Lily,
The sunshine has become much more like summer. How are you doing? I'm sorry to bother you when you're busy. I am sending you an email for the first time. Please forgive me for being rude. My name is Yamato and I will be working with you from next month. I'm two years behind you. I am looking forward to work with Lily-san, who is fluent in English. I can't speak English at all, so it may cause a lot of trouble and inconveniences, but I would appreciate it if you could teach me English if

you have the opportunity. I'm not good at it and it's embarrassing, but I will study English very hard from now. Thank you very much.
Sincerely yours,
Yamato

Lilyさんからは、"Thank you! I am looking forward to working with you, too."と返信がありました。ヤマトが送ったこのメール文については、後でLilyさんから軽くダメ出しを食らうことになるのですが、その話はまた後でします。Lilyさんから返信をもらい、すっかり気をよくしたヤマトは、Lilyさんの着任日までしっかり英語の自己紹介を練習しました。

当日、隣の席に着いたLilyさんにヤマトは、さっそく自己紹介しました。

ヤマト：Hello, Ms. Lily-san. How do you do?（こんにちは、リリーさん、ごきげんいかがでしょう）My name is Yamato. Nice to meet you.（私の名前はヤマトです。よろしくです）

Lily：I'm Lily. Pleasure to meet you, too, Yamato.（Lilyです。こちらこそよろしく）

ヤマト：My English is not very good. So, please teach me.（英語がへたなので教えてください）

Lily：You are doing fine. But I'll be happy to help you anytime.（問題ないと思うけど、いつでも喜んでお手伝いしますよ）

ヤマト：If you don't mind, please check my English emails.（よければ、英文メールをチェックしてください）

Lily：No problem. Anytime.（もちろん。いつでもどうぞ）

ヤマト：I'm so sorry.（すみません）

Lily：What are you sorry for?（何を謝ってるの？）

ヤマト：Well, my English is not good. So, I'm sorry.（英語がへたなので、すみません）

Lily：You don't have to apologize. Your English is very good.（謝らなくてもいいのに。英語とてもお上手だわ）

ヤマト：No, no, no. あ〜もう無理。やっぱり全然まだまだですよ。すみません。

Lily：ヤマト、謝る必要などないのに謝ってる。

ヤマト：あ……。

Lily：日本人はよく謝るわね。アメリカ人には、「落ち度が見当たらないのに謝っている。なぜだろう」って、不思議に思えてしまうこともあるのよね。

ヤマト：なるほど。

Lily：謝るときも「すみません」だけど、人に声を掛けるときも日本語では「すみません」と言うでしょ。本来これは、英語で言うと注意を促すフレーズのExcuse me.で、謝罪の言葉I'm sorry.とは違う。でも、日本人はそれを英語でI'm sorry.と言うことが多いと思う。もし、迷惑をかけて申し訳ないと感じて謝っているのなら、とても心優しいと思うけど。

ヤマト：確かにI'm sorry.って言っちゃってる。Lilyさんがおっしゃるように、迷惑をかけて申し訳ない……というニュアンスをもっているからI'm sorry.に自然になっちゃうのかもしれない。そして、感覚的にも、謝ることが癖のようになってるのかな。

Lily：ホント。日本人はみんな控えめで、優しいわ。

ヤマト：僕ら日本人って、子どものころから「おりこうさんにしなさい」って言われて育つもんですから。

Lily：おりこうさん？　ああ、Good boy, Good girl.ね。そういえば、もう1つ不思議なことがあるの。

ヤマト：何ですか？

Lily：日本人は優しいから、相手の話に合わせてくれると思ってたんだけど、あなたは、私が褒(ほ)

めても、自分は英語がヘタだって言って絶対譲らない。なぜそういうところだけ頑固なの？

ヤマト：え？　そう言われれば、謙遜することが沁みついているのかもしれないですね。

Lily：ケンソン？

ヤマト：ええ。謙遜は、自分の技量や能力をひけらかさない、つまり自慢しないようにする表現です。日本的な表現と言えると思います。

メールで謙遜は不要？

Lily：なるほど。ヤマトはケンソンしてるのね。それもおりこうさんの礼儀なのね。難しいな。

ヤマト：ですよね。謙譲というのもありますよ。

Lily：ケンジョー？　えっと、なんだっけ？

ヤマト：謙譲は、自分のことをわざわざ低く表現することで、対比として相手の立ち位置を上げるという敬語です。

Lily：ああ、そういえば、赴任前にヤマトが送って来てくれたメール、あれがそうよね。正直びっくりしたわ。ケンソンとケンジョーの言葉がいっぱい。

ヤマト：あーっ！　そうかもしれない。Lilyさん、あのメール読んで僕のこと変なやつって思ったんですか？

Lily：私はある程度日本人とお付き合いがあるから、日本人的な表現だってわかったわ。でも、謙遜や謙譲が日本の文化だと知らなければ、「この人は自分に自信のない人か、自己肯定感が低い人なのかな？」と思ってしまうかもしれないわね。

ヤマト：えーっ、まじですか！

Lily：特にビジネスにおいては、悪くすると不必要に相手を優位に立たせてしまう可能性もあるから、こういう英語表現はちょっと注意が必要ね。

ヤマト：あぁ、すみません。

Lily：また、謝ってる。別に悪いことをしたわけじゃないのだから、謝る必要などないのよ。今後、英語でメールするときの参考になるようアドバイスするね。

ヤマト：お願いします。

Lily：たとえば私に送ってくれたメールなら、こういうふうに書くとよりいいわ。

Dear Ms. Lily,
~~The sunshine has become much more like summer. How are you doing? I'm sorry to bother you when you're busy.~~ I am sending you

an email for the first time. ~~Please forgive me for being rude.~~ My name is Yamato and I will be working with you from next month. ~~I'm two years behind you.~~ I am looking forward to **working** with ~~Lily-san~~ **you**. ~~who is fluent in English. I can't speak English at all, so it may cause a lot of trouble and inconveniences, but~~ **I am learning English and** I would appreciate it if you could ~~teach~~ **help** me **with my** English. ~~if you have the opportunity. I'm not good at it and it's embarrassing, but~~ I will study English very hard from now. Thank you very much.

Sincerely yours,

Yamato

ヤマト：うわ、やばい。ほとんど全部ダメ出しされてる。

Lily：別にダメってことじゃないのよ。よく見て。消したのは、要するにケンソンの部分。つまりあなたからの社交辞令でしょ？　メールの要点は「一緒に仕事をすることへの歓迎」だから、厳密には関係ないことだわ。だから要らないの。後輩だということもたぶんケンジョーの意味を込めて書いたかもしれないけど、先輩後輩って、アメリカでは日本ほど重要なことじゃないので、わざわざ書く必要はないわ。

ヤマト：でもこうなると、事実を述べただけで味気なくないですか？

Lily：味気？　私が消したところは味気なの？

ヤマト：え？　えーっと、まあ、そう言われれば、味気というか、うーん、やっぱ僕の謙遜と謙譲ってことになるか。

Lily：でしょ？　最初の季節の挨拶は日本の手紙のマナーね。あっても悪いわけじゃないけど、アメリカには特にそんな慣習はないから、まったく関係のない話に思える。そしてあとは、ケンソンとケンジョーでしょ？

ヤマト：ええ。相手へのリスペクトのつもりなんですが……。

Lily：私に言わせると、ケンソンとケンジョーは、書き手が自分自身のために書いていることで、読み手には一切どうでもいいことだわ。どうせなら読み手に関係のあることを書いたほうがよっぽどいいと思うな。

ヤマト：キツイな……。

Lily：まあちょっとキツイ言い方に聞こえるかもしれないけど、特にビジネスの場の英語では、ケンソンやケンジョーの表現は、「書くのもムダ」「読むのもムダ」ってこと。

ヤマト：ム、ムダ!?　わあ、Lilyさん、悪魔みたいな人だな。あ、すみません。失礼なことを。

Lily：謝らなくていいわよ。ある意味その通りだもの。言いたいことを率直に表現する私たちアメリカ人のマインドは、日本人から見ると、少々細やかさに欠けて、少々傲慢でキツイと感じるのかもしれないわね。まさに悪魔的に映るのもわかるわ。でも逆にアメリカ人からすると、日本人のそのオブラートに包んだような対応こそ、何を考えているのかわからなくてちょっと不気味にも思えるときがあるのよ。

ヤマト：なるほど、そうなんだ。

Lily：これだけの乖離があるんだから、日本語の表現をそのまま英語に直訳しても、アメリカ人のシンプルなマインドにはちゃんと伝わらないことがあるんだと思う。逆も然り。

おりこうさんを削ぎ落とそう

ヤマト：おっしゃることはわかるんですが、でもやっぱりアメリカ人的な率直でストレートな言い方って、僕たちは慣れてないからなかなかできないです。

Lily：難しい？　やはりギャップが大きいわよね。
ヤマト：そうですね。
Lily：ということは、英語で会話するときは、日本人の感覚からするとちょっと大胆で悪魔的だなと思うくらいの表現がちょうどいいのかもしれないわね。
ヤマト：悪魔的な表現ってよくわからないですよ。
Lily：じゃあ、悪魔の私が「悪魔の英語術」を教えてあげる。
ヤマト：悪魔の……英語術？
Lily：そう、ヤマト、あなたは礼儀正しい日本人の典型的なおりこうさん。でもそのおりこうさんの日本人マインドのままで英語を表現しちゃうと、アメリカ人には真意が伝わらず、誤解される可能性があるわ。英語を話すときには少しそのおりこうさんを削ぎ落としてみるといいんじゃないかなって思うの。
ヤマト：おりこうさんを削ぎ落とす？　そしてそこに、僕たちにとってはちょっと奔放で悪魔的にすら感じるアメリカ人的なマインドを取り入れる？
Lily：そう。あなたにとって悪魔的に思えるマインドを取り入れて、それを英語にする。きっと自然な英語表現になるわよ。アメリカ的な感覚ってやつ。Have an American Mind！
ヤマト：American Mind…。悪魔っぽい感覚を取り入れるってことか。
Lily：おりこうさんであればあるほど、きっと楽しい体験になると思うわ。

私たち日本人の多くが日本文化の中で育ち、日本の道徳観を常識として生活に反映していると思うので、知らず知らずのうちに、ヤマトのような「おりこうさん」タイプになっているのではないかと思います。ふだんの何気ない言動を振り返ってみて、思い当たることはないでしょうか。

以下のシチュエーションで、自分ならどうするか、それぞれ反応や受け答えを直感で想像してみてください。自分自身のおりこうさん度が測れるのではないでしょうか。

1．友人に1万円貸しています。「明日返すね」と言ったのに、すでに1週間が経過。今、その友人が目の前にやってきました。あなたはどうしますか？

2．オフィスの室内温度が少々不快です（暑すぎる／寒すぎるなど）。他の人は普通に仕事をしています。あなたはどうしますか？

3. 「ご自由にお取りください」というメモがついた箱に、おいしそうなケーキが入っています。周りでは上司や先輩や同僚が仕事中。残りは1個。あなたはどうしますか?

4. 先輩から身内のことをベタ褒めされました(カレシ超かっこいいね、奥さん美人ね、お子さん優秀ね、などなど)。あなたはなんと返答しますか?

5. 仕事(勉強)を終えて帰ろうとすると、上司(先輩)に、まだ仕事(勉強)が残っているから手伝ってと言われました。あなたはどうしますか?

6. 討論会に参加しないかと誘われました。イベントでの討論会で謝礼も出ます。あなたなら参加しますか?

それぞれの国には文化の違いや宗教観などに培われた国民性がありますが、ものの考え方には個人差もあります。良し悪しも一概には言えませんが、まずは、それぞれの状況での一般的に見られそうなアメリカ人の反応を参考にしながら、おりこうさんの削ぎ落とし方と、プラスすべき、よい意味での悪魔的思考の組み

立て方を考えていきましょう。ヤマトとLilyのやりとりからそれぞれのシチュエーションでのマインドの持ち方を解説します。

悪魔のささやき1
言うべきことは遠慮なく言おう

友人に1万円貸しています。「明日返すね」と言ったのに、すでに1週間が経過。今、その友人が目の前にやってきました。あなたはどうしますか？

1. 貸したお金のことは、自分からは何も言わない
2. 「飲み会楽しかったね」と相手が気づきそうな話題で示唆する
3. 「そうそう、あの貸したお金どうなってる？」とやんわり請求する
4. 「貸しているお金返してよ」とはっきり言う

さて、ヤマトはどうするでしょうか。

Lily：What's wrong?（どうしたの？）
ヤマト：Ah..., nothing.（なんでもないです）
Lily：Come on. You don't look too happy.（あまりご機嫌ではなさそうね）
ヤマト：Well, I lend Ken some money a week ago and I don't think he remembers.（ケンにお金を貸しているんだけど、どうも忘れちゃってるみたいで）
Lily：Why don't you ask him?（言えば？）

ヤマト：It's OK. It's not a lot.（たいした金額じゃないし、大丈夫です）

Lily：It's not OK. You guys are colleagues.（大丈夫じゃないわ。同僚なのよ）

ヤマト：Yes, but it's OK. Really.（ええ、でもいいんです。ホントに）

その後、ヤマトはLilyに促され、ケンにこんなふうに言っていました。
「ごめんな。申し訳ないけど、あのお金の件、どうなったかなと思って。覚えてる？　あ、でも今無理だったらいいんだ。待つから」
そのやりとりを聴いていたLilyさんは、笑ってヤマトに言いました。

Lily：今あなたが彼に言ったことを英語で表現してみるね。

◆I am sorry. I feel bad, but I'm just wondering about that money. Remember? Oh, it is OK if you don't have it right now. I can wait.

ヤマト：さすが。

Lily：なんだか悪いのがヤマトのほうで、ひどく大変なお願いをしているみたいね。

ヤマト：え、だってお金のことは言いにくくないですか？

Lily：「貸しているお金を返してほしい」というような、相手に言いにくいことを伝えるときに、アメリカ人と日本人の考え方の違いを感じるわ。

ヤマト：アメリカ人は平気でズケズケ言っちゃうんですか？

Lily：やだ、アメリカ人だって、一応お金のことはセンシティブなことと思ってるわよ。でもね、比較すると、日本人のほうが、より慎重に、タブーなことみたいに扱う気がする。

ヤマト：お金のことを細かく言うのは、卑しい、はしたない、みっともない……日本人は絶対そんなふうに捉えますね。金額や相手との関係にもよるでしょうが、相手から何か言ってくるまでは、自分から「お金返して」とはなかなか言い出さない人も多いんじゃないかな。

Lily：じゃ、返してもらえないじゃない。

ヤマト：そこは行間に含ませるんですよ。

Lily：ギョーカン？

ヤマト：そう。between the linesです。日本人は、うまいこと行間に真意を潜ませる表現を使うことが多いと思いますね。だから、日本人なら受け取り側としても、行間に潜んでいる真意を反射的に探知することがきっとうまいんですよ。

Lily：そうなのね。日本語にはたくさんギョーカンがありそうでちょっと怖いな。私には読めないかも。

ヤマト：少し前に「KY」って言葉がはやったんです。何だと思います？

Lily：KY?　KONNICHIHA YOROSHIKU?

ヤマト：いえいえ、「Kuuki Yomenai（空気読めない）＝KY」って意味です。彼はKYだよって言うと、彼は空気が読めないってことです。

Lily：空気を読む？

ヤマト：えっと、Read the air...

Lily：ああ、Sense what's in the air, まさにRead between the linesね。

ヤマト：そうです！　思うに、「KY＝空気読めない」なんて言葉ができあがるのは、そもそも僕たち日本人が、「空気は読むもの」「読めて当たり前」って思っているからなのでしょうね。

Lily：なるほどね。そういう意思の疎通ができるのね。

ヤマト：ですので、ケンはちゃんと今日中にお金を返すって約束してくれたんです。僕が発した空気をケンは読んでくれたってわけです。

Lily：あんなふうに気遣って丁寧に言われると、悪い気がして返そうとするのね。

ヤマト：アメリカ人はどうですか？

Lily：どうだろ。アメリカ人はストレートに言葉を受け取ることが多いから、ほとんどがKYかもしれない。相手が返してほしがっていることは理解しても、「無理ならいいのか。待ってくれるんだ。いいやつだな」なんて解釈するかも。で、結局返してくれない可能性もある。真意を行間に含めた表現だと結局伝わらず、「無理ならいいって言ったじゃん」って言われるかもよ。

ヤマト：そうなんですね。

Lily：そう言えば、日本文化はhigh context、アメリカ文化はlow contextって言うものね。

ヤマト：contextって何ですか？

Lily：contextは、文章の前後関係、文脈、状況といった意味なの。つまり、日本ではcontext＝文脈に意味が多く含まれている状況でコミュニケーションが成り立つ文化だってこと。まさにお互いに行間が読める文化ってことね。それに対してアメリカなどのlow contextの文化は、文脈に含ませることが少なく、ほぼ文字どおりに示されたことを理解する。なので、しっかり言葉や文章に言いたいことを盛り込む必要がある……ってこと。

ヤマト：なるほど。日本的に行間に含ませておけばわかってもらえるだろうと思ってもダメなんですね。それは英語をやるうえで知っておかないと、伝わらないから重要ですね。

Lily：そうね。だからアメリカ人からすると、お金を返してほしいって伝えることが目的なら、最短で達成するためにちゃんとそう言ったほうがいいと思っちゃうのよ。それが日本人には、「ズケズケとモノを言ってはしたない」と映るのね。

ヤマト：日本人がそういう言い方をするのは、ある意味、相手のことを思いやっているという面もあると思います。相手に恥をかかせたり、嫌な思いをさせたりしないように。

Lily：思いやる？　それはまあすばらしいと思う。でもね、その結果返してもらえなければ意味がないじゃない。ましてやもしビジネス上のやりとりなら、伝わらないと問題よ。

ヤマト：そう言われりゃそうだな。

そうか。待てよ。確かに思いやりでもあるんだけど、実はそれより、嫌な空気にならずに済むようにという自己防衛、ディフェンスの姿勢なのかな。相手はこういう言い方に怒ったりはしないはずだから。

Lily：確かに優しい言い方だとディフェンスは成り立つわね。でも貸したお金を返してもらうというミッションは、やっぱりコンプリートできないよね。そこが目的なのに。

ヤマト：なるほど。Lilyさんならどう言うんですか？

Lily：そりゃもう、きちんと返してほしいと英語で表現するのであれば、行間を読ませるより、できるだけストレートに伝えるわ。Would you pay me back the money?（お金を返してくれる？）かな？

ヤマト：えー、さすがにそれは言いにくいですよ。Would you? って、丁寧な言い回しは使っていますけど、逆に慇懃無礼（いんぎんぶれい）と取られて相手の気分を害すかもしれないですから、ディフェンスという観点できびしい。

Lily：じゃあ、少し表現を工夫しましょう。こういう言い方ならどう？

◆Is it possible that you pay me back the money now?

今、あのお金って返してもらえるかな？

ヤマト：いいですね。でも、Pay me backってまだ露骨だな。もう少し遠回しな言い方ってないで

すか？

Lily：じゃあ、こういうのはどうかな？

◆Do you have the money I lend you? I need to go shopping later.

貸してるあのお金持ってる？　後で買い物に行こうかと思ってるの。

Lily：これならPay me back（返して）という単語は使っていないけど、「買い物に行きたい」ということで、お金がないと困る状況を説明して、「返してもらわないと困る」ということをしっかり伝えられるわよ。

ヤマト：なるほど。行間に含めるというか、言葉の選び方の工夫ですね。

Lily：さらにこの基本の文に少しニュアンスを加えるだけで、しっかりと意志を伝えつつもふんわりオブラートに包んだ表現にできるわ。

◆By the way, do you happen to have the money I lend you? Because I think I want to go shopping after work.

そういや、もしかして貸してるお金をもってるとかない？　実はさ、仕事の後で買い物でも行こうかなって思ってるんだよね。

Lily：日本人のおりこうさん的な温和な心を残しつつ、言いたいことを伝えるやや柔らかな表現にすることができるわ。By the wayは、あたかもふと今思いついたかのような印象を与えられるし、happen to ～も、「もしやたまたま～してない?」という思いつき的な表現ね。Becauseは、思いつきを補足する演出となり、I thinkを付けることでさらに計画性はないことを示唆できる。ちょっと高度な表現だけど、微妙なニュアンスを与えたいときのヒントになればと思うな。

ヤマト：なるほど。参考になります。

〈「脱・おりこうさん」まとめ〉

相手を信頼し、伝えるべきことは遠慮せずきちんと伝えよう。

Say what you have to say. They will listen to you.

Lilyさんの説明にあったように、日本はhigh context（多く行間に含む）、アメリカはlow context（ストレートな表現）な文化と言われています。low context、つまり行間に真意を含ませないで、しっかり言葉や文字で示すことが、アメリカ人とのコミュニケーションで留意しておかないといけない点です。

この例のように、貸したお金を返してほしいという目的があるのであれば、なんとかしてそのことを言葉で伝えるべきなのです。相手を気遣って「無理ならいいんだ」というような曖昧な表現だと、本当は返してほしいという「行間の」真意が伝わらず、目的が達成できません。

多くのアメリカ人はそう言われた場合でも、日本人が思うほど気にしません。状況にもよりますが、それで「恥をかかされた」などと思う人もそうはいないと思います。

ちなみに、アメリカ人のみならず外国人はお金にシビアです。お金の管理にシビアであることは、自立した大人として当然のことと考えるので、けっこうストレートに「返して」と請求します。借りているほう（アメリカ人）にもその認識があるので、あなたの請求は不当なものではなく当然のこと。あなたが思うほど気を悪くしません。返す当てがないなら、きちんと説明して待ってくれるよう頼んできたりします。もしかすると、

Sorry, but I'm really broke. If not, I would've.

（だってお金ないんだもん。あったら返してるよ）

などと答えてくる場合もあるかもしれません。そんなふうに開き直れる強さに、ついつい感心しますが、考えてみると、何も言わないままお互いが疑心暗鬼になるという状況は避けられます。きちんと言いたいこと

を伝えて、相手からもきちんと回答をもらうというlow contextのコミュニケーションは、クリアで良い結果をもたらす対応と言えるかもしれないですね。

英語でのコミュニケーションで理解しておきたい重要な点は、伝えたいことがあれば、行間に含めるより、しっかりと伝えたほうが相手も理解するということです。考えてみると、行間に含ませる表現のほうが高度なので、単刀直入に伝わる単純な英語でシンプルに伝えればよいのです。

いずれにせよ、伝える努力をすべきだということです。英語でも日本語でも、言いにくいからと何も言わないまま、もし陰で悩んだりイライラしたりするようなことがあれば、それこそ"フェアじゃない"と相手は感じることでしょう。

Be honest and be sincere!

悪魔のささやき2
自分ファーストでいい

オフィスの室内温度が少々不快です（暑すぎる／寒すぎるなど）。他の人は普通に仕事をしています。あなたはどうしますか？

1．他の人が大丈夫そうなので我慢する
2．「何か暑く（寒く）ないですか?」と、周囲が気づいてくれるように言ってみる
3．エアコンを調節してから「エアコン強めたので寒かったら（暑かったら）調節してください」と言う
4．特に何も言わず自分の好きな温度に設定を変える
ヤマトの行動を見てみましょう。

Lily：What's wrong, Yamato?（どうかしたの、ヤマト？）
ヤマト：I'm hot!（僕、熱いんです）
Lily：Oh, I know you are a hot guy, Yamato.（あなたが熱い男なのは知ってるわ）
(*注："hot" は、スラングで「イケてる」「セクシー」という意味になりかねません。"I am hot." という表現は、必ずしも間違いではないのですが、要注意。「時間」「天候」「季節」「明暗」「気温」などを表現するときの主語は、“it”です。“Aren't you hot?”などと異性に言うと、「キミ、セクシーだね」と言ったと取られ、ヘタするとセクハラでビンタされるかもしれませんよ)

ヤマト：Huh?（は？）

Lily：You mean, “It's hot in the office”?（“部屋が暑い”って意味ね？）

ヤマト：Ah..., yes. It's hot in the office.（あ、そうです。オフィスが暑い）

Lily：Why don't you turn the AC down?（エアコンを下げれば？）

ヤマト：No. It's OK.（大丈夫です）

Lily：Why?（なんで？）

ヤマト：他には誰も暑がってなさそうなので。

Lily：でも、あなたは暑いんでしょ？　なのに、我慢するの？

ヤマト：もしエアコン強めて、寒い人がいたらいけないし。

Lily：寒いと思う人は、その人がエアコン弱めればいいじゃない。

ヤマト：あ、なるほどね。

Lily：（オフィスのみんなに向かって）みなさん、暑いのでエアコンの温度下げますね。寒すぎるようなら適当に調節してください。

ヤマト：あ、ありがとうございます。

Lily：ほら、だあれも気にしてない。

ヤマト：確かに。でもなんか、大勢の人がいるときは、ちょっと行動しにくくて。で、つい我慢する。

Lily：日本人はそもそもすごく我慢強いと思う。我慢する精神が美しいと称賛される文化よね。でも、正直言って、その我慢が必要なことなのかが私にはわからないわ。私たちアメリカ人は多分我慢する前に行動してしまう。きっと、私のそんな行動は、日本では浮いてしまっているでしょうね。

ヤマト：こういう場合、アメリカ人は、周りの人に気を配るってしないのですか？

Lily：アメリカ人って、基本的に自分のことは自分でtake careする。そうお互い考えてるから、周りの人が特に困ってる様子がなければ、わざわざ気を配る必要性を感じないと思うの。もしくは、「暑い＝みんな暑い」と単純に思い、何も言わずに調節するかもね。で、周りの人も、調節されてもなんとも思わない。ああ、ヤマト君、暑いんだなって。

ヤマト：考え方の違いですね。そもそも僕たち日本人は、勝手に調節したりするのは、周囲の人への気配りが足りないマナー違反と考えるので、調節するなら声掛けすべきと思うんです。でも、そもそも声掛けをすること自体が苦手、というか目立つのがいやだったりで、ストレスに感じるんだと思います。なので「もういいや」って、結局我慢してしまうのかもしれません。

Lily：そうなんだ。何か不思議。まあでも、特に周りの人がどう思うかなんてあまり気にしないアメリカ人だけど、確かにコミュニケーションは大事にするから、きちんと声掛けして意図を伝えるのはいいことね。

ヤマト：さっきLilyさんも声掛けましたよね。調節するときにみんなに言ったこと、「寒すぎるようなら適当に調節してください」って、英語だとどうなりますか？

Lily：If it gets too cold, help yourself to adjust it. Thanks！かな？

ヤマト：ご自由に……は、Help yourselfか。なるほど自分のことは自分で、ってことなんですね。メモっときます。

Lily：あとは、Feel free to～という言い方もあるわ。

◆I turned the air conditioner down. Feel free to adjust it if you are cold.

エアコン強めました。寒かったらご自由に調節してください。

Lily：Feel free to ～という表現は便利よ。「遠慮なく～してね」という意味なので、何か行動をしてから「Feel free to+ 動詞」で逃げておけばいいの。

◆Feel free to turn it off.
いつでも消してね。

◆Feel free to leave.
いつでも帰ってね。

◆Feel free to stay.
居残っていいよ。

◆Feel free to use it.
好きに使ってね。

◆Feel free to sit down.
ご自由にお座りになって。

ヤマト：なるほど。今度使ってみます。でも、ちょっと命令口調じゃないですかね。

Lily：確かに動詞から始めているので「命令文」という文体ね。でも、必ずしも上から目線で礼儀のない表現というわけではないわ。「命令文」という文法的な呼び方がちょっと変だと思う。語調がきつければ、命令されていると感じるけれど、普通の語調なら、むしろ「提案文」というニュアンスではないかな。でも、日本人としてはやはり気になる？　じゃあ、頭や後ろにPleaseを付けたりするとちょっと丁寧な言葉遣いになるわ。

ヤマト：なるほど。それはいいですね。

Lily：もう1つ、気遣いがあって日本人には感覚的に使いやすい表現があるわよ。Would you mind if ～? で相手の意思を確認する表現よ。たとえば、

◆Would you mind if I turn the air conditioning down a little?
エアコンを少し強めてもかまわないですか？

◆Would you mind if I turn the heater up a little?
暖房を少し強めてかまわないですか？

ヤマト：Would you mind...ですね。それは覚えておくと非常に便利な言い回しですね。

Lily：ただし、返答は日本人には少しトリッキーなのよ。これは直訳すると、「～したら、あなたは気になさいますか？」という問いかけなので、快諾するときの返答はNoになるの。

ヤマト：え、どういうことですか？

Lily：Would you mind...で尋ねる質問は、「～すると気にされますか？」なので、Noが「いいえ、気にしませんよ。どうぞお好きに」、Yesが「はい、気にします。なのでやめてください」

になるの。

◆No →（いいえ、気にしません）どうぞお好きに

◆Yes →（はい、気にします）やめてください

ヤマト：「〜していいですか?」と訳すのが自然なので、思わず「いいですよ＝Yes」と言いたくなるな。

Lily：Would you mind 〜で訊かれて、ごく自然にNo! と返答できるようになったら、ネイティブ感覚が高いってこと。

ヤマト：むつかしいな。

Lily：日本語の返答と反対のような感覚になりそうで、苦手意識をもつかもしれないけれど、話しているときの表情やニュアンスを相手は汲み取ってくれるので、間違っても大きな問題はないわ。それほど神経質にならなくていい。こんがらがったら、YesやNoは言わずにGo ahead.（どうぞ）と返答するといいわよ。

ヤマト：なるほど。Go aheadですね。

〈「脱・おりこうさん」まとめ〉

我慢せずに我が道を行っていい。皆自分のことは自分でできるから

You do what you want to do. We all take care of ourselves.

日本人は、本質的に和を尊重しようとする気持ちが強く、どちらかというと「自分vs.自分以外」という構図を避けようとする場合が多いと思います。自分以外の周りが敵というわけでもなく、他者との関係が限りなくニュートラルな状況だったとしても、往々にして、我を通すことで波風が立ったりしないよう、アクションを避け、周囲に変化を与えないように配慮します。たとえ自分が少々不快でも、黙って我慢しているときがないでしょうか。

周りの人を気遣うことは必要です。しかし、英語の世界では、物事は言葉で言わないと伝わりません。自分が我慢をしなければならないと感じる場合は、本当に“必要な我慢なのか”よく考えてみましょう。エアコンの温度を変えて気分を害する人など、よほどでないといないと思います。仮に怒り出す人がいたとしたら、問題はその人のほうにあると思います。相手はむしろ「あなたに我慢を強いる」なんていうことを望んだりしないはずです。あなただって相手にそのようなことを望まないですよね。

そして、もしも心の奥底に「私はコレだけ我慢してるのに……」という思いを秘めていたりするようなら、最も捨てるべきなのはその思いです。そこに気づいてほしいと思っての我慢かもしれませんが、残念ながらアメリカ人は、示されないことにはまず気づいてくれないと思います。人のためにそういう我慢をするという発想もあまりないので、結局はこちらが損をしてしまいます。我慢しても、残念ながらあまり意味がないのです。

It is OK to follow your honest feelings.

It is OK to say how you are feeling.

悪魔のささやき3
他人の目を気にしすぎるな

「ご自由にお取りください」というメモがついた箱に、おいしそうなケーキが入っています。周りでは上司や先輩や同僚が仕事中。残りは1個。あなたはどうしますか？

1．最後の1つを取るのは気が引けるので、取らない

2．「どなたか他に欲しい人いませんか？」と声をかけ、いたらジャンケンする

3．「私、いただいちゃいますよ」と言って取る

4．早い者勝ちなので、さっさと取る

ここでのヤマトの行動はどうでしょうか？

Lily：Yamato, there is some cake from someone on the counter. Why don't you have some?（カウンターにケーキがあるわよ。取ってくれば？）

ヤマト：Oh, it sounds nice. I love sweets!（いいですね。甘いもの好きなんですよ）

しかし、カウンターの箱を覗いたヤマトは、手ぶらで戻ってきました。

Lily：All gone?（もうなかったの?）
ヤマト：No. Only one left.（ラスト1個でした）
Lily：So?（で?）
ヤマト：Well...。ラスイチだし、遠慮しときます。
Lily：But, why?（なんで?）
ヤマト：だって、取りにくいじゃないですか、最後の1つって。
Lily：あ、それ、「なんとかのカタマリ」ね?
ヤマト：遠慮のかたまり?
Lily：そうそう。アメリカにはないカタマリ。
ヤマト：アメリカ人は最後に1個残ってたらどうするのですか?
Lily：まず残らないよ。早く取らなきゃ!ってなるもの。
ヤマト：ホントに?
Lily：そうね、もしも残ってたら誰かが「これ食べるよ」って言って食べる。もしくは「誰か食べてよ!」って言う。そういうときは皆が遠慮してるんじゃなく、皆がもうほんとにおなかがいっぱいなのよ。
ヤマト：そうなんだ!
Lily：食べ物を残すことのほうがルール違反だしね。
ヤマト：なるほど。最後の1個を食べるときも、Would you mind if I have it? って訊けばいいんですよね？

Lily：ええ。きっとNo!って言われるわ。

ヤマト：え、No!なのですか？

Lily：Remenber? Would you mind...は、「気になさいますか?」だから、Noが、「いいえ、気にしませんからどうぞ」という肯定の意味になるのよ。

ヤマト：あ、そうだった。

Lily：みんながおなかいっぱいで困ってるときなら、Would you mind? って示唆すれば、No. Not at all. Please!（ぜひぜひ食べてちょうだい）ってお願いされるわよ。Help yourself（どうぞ）ってね。

〈「脱・おりこうさん」まとめ〉
人からの目線は気にせず、自分ファーストでいい。相手は自分が思うほど気にしない
Be honest to what your heart desire. People care not as much as you think they do.

Help yourself と書かれていたら、もう文字どおり好きに取ればいいのです。英語においてはそれ以外の意味はありません。日本人は、控えめな人であるべきと思うあまり、他の人が自分の行動を見てどう思うのかを過度に気にしてしまうように思います。それゆえに本来の心の奥底の気持ちを押し殺してしまいがちで、行動の基準が他人目線になってしまいます。その点、アメリカ人は日本人ほど人目を気にしない。自分の心の叫びにストレートに反応して行動する人が多いです。しかも「ご自由にお取りください」とわざわざ書いてあるのなら、その「指示」に従い、素直に自由に取るはずです。ですので、思慮深く遠慮しようものなら、アメリカ人相手だと、遠慮し損になるってことです。Help yourselfに対して遠慮して手を出さないでいるあなたの姿に、アメリカ人は単に「欲しくないんだな」と思うだけです。逆に取って食べたとしても、その行動が「大食いだな」という発想へ直結したりはしません（毎回なら思われるかもしれませんが）。

そういえば、「遠慮のかたまり」という日本語の表現について、とある外国人（ニュージーランド人）が言っていました。「僕の文化では『遠慮のかたまり』はあり得ない。なぜなら、食べ物を残すことはマナー違反だから。でも日本人は他の人に残してあげようとするんだね！　なんて優しいんだ！」なるほどと思いました。優しいと映るのはちょっとうれしいですが、思わず「違うんですよ、本当は食べたいけど、他人の目線が気になるから私たちは最後の１個を食べないんですよ！」って言いそうになりました。食べ物の立場でいうと、確かに食べてほしいですよね。もったいないですから。そういえば、環境問題への取り組みでノーベル平和賞を受賞したケニアの活動家ワンガリ・マータイさんが、日本語のMottainaiという言葉を一躍有名にしました。一般的に英語社会では伝わるのかわかりませんが、使ってみましょう。

Is anyone eating this? No? Well, then I'll finish it because it's mottainai.

悪魔のささやき4
うれしい言葉には素直に感謝

先輩から身内のことをベタ褒めされました（カレシ超かっこいいね、奥さん美人ね、お子さん優秀ね、などなど）。あなたはなんと返答しますか？

1. **いえ、うちのなんてダサダサですよ（うちの子なんておバカですよ、など）**
2. **いやあ、その通りだったらよかったんですけどね**
3. **ありがとうございます。そう言ってもらえるとうれしいです**
4. **そう、カレ、すごく優しいの（ホントよくできる子なんです、など）**

ヤマトの反応を見てみましょう。

ヤマト：Lily-san, this is a small gift for you. My mother is taking a paper-making class and she made this. I'm sorry it's not very good. It's such a stupid little things.
（Lilyさん、プレゼントがあります。母が紙漉きを習っていて、これ作ったんです。へたくそですので、つまらないものですみません）

Lily：Excuse me? What things your mother made?（なんて言ったの？　お母様が作った何？）

ヤマト：Really, stupid little...（ホントに、つまらんものなんです）

Lily：Ah...

Lilyさんは、リボンのかかった包みを手にしたまま黙り込んでしまいました。ヤマトが用意した贈り物は、母親が趣味で作っている和紙細工のしおりです。Lilyさんの名前にちなみ、百合の花をモチーフにしてありました。包みを開けたLilyさんは叫びました。

Lily：Oh, how pretty！（まあ、なんてきれいなの！）

ヤマト：No, no...（いえいえ）

Lily：Did your mother make these? She is so talented！（コレあなたのお母さんが作られたの？　すごく器用だわ）

ヤマト：Oh, no, no！ They are not very good. But, she insisted. I'm sorry.（いえいえ、あまり出来はよくないのに、持ってけというので。すみません）

Lily：Hey！（ちょっと！）

ヤマト：Yes?（はい？）

Lily：It is not very nice of you to speak ill of your mother like that！（そんなふうにお母さんの悪口を言うなんてよくないわ）

ヤマト：Speak what?（何を言うと？）
Lily：Speak ill of your mother!（お母さんの悪口！）
ヤマト：Speak ill of...?
Lily：ああ、“speak ill of ～”というのは、「～のことを悪く言う」という意味よ。
ヤマト：えっと、illは「病気の」という意味ですよね。
Lily：そうね。そもそも悪いこと全般を指す形容詞よ。なので、speak ill of ～は、「悪いことを話す」、つまり「陰口を言う」という表現になるの。あなたはそんなつもりではなかったと思うんだけど、その英語表現は、アメリカ人の耳には、お母さんの悪口を言ったかのように聞こえてしまうわ。
ヤマト：はあ、そうなんですね。日本人はついそういうふうに謙遜してしまうのかもしれないですね。
Lily：謙遜と謙譲ね。つつましさを重んじる日本では、「謙遜」や「謙譲」はとても大切な心の持ち方だと思うから、それはすばらしいと思うわ。でもね、アメリカ人のマインドには「謙遜」や「謙譲」という考え方があまりないから戸惑うのよ。
ヤマト：なるほど。
Lily：自分のことはまだしも、身内のことを悪く言うなんてありえないの。しかも母親の存在は特別。大人になって体格も力も大きく強くなった子どもは、産み育ててくれた母親を慈しみ、いたわるべきで、けなすなんてことはもってのほかよ。ヤマトのお母さんは、ヤマトのためを思って手作りの贈り物を用意してくれたんだから、そもそも感謝されてもけなされるべきではないでしょ？

ヤマト：ああ、しまったな。すみません。

Lily：その点は、英語での会話のときは本当に気を付けたほうがいいわ。日本の謙遜を理解していない人には、人格を疑われちゃうかもよ。「なんてひどいやつだ！」って。

ヤマト：覚えておきます。日本人的には思慮深いとされる謙遜の言動は、英語では要注意だと意識したほうがよいですね。こういったとき、アメリカ人ならなんと言って、贈り物を渡すんですか？

Lily：そうね、こんな感じかな。

◆This is something my mother made for you. I hope you like it.

これは母が作ってくれたものです。お気に召すといいのですが。

ヤマト：なるほど、それなら柔らかい。

Lily：で、それに対しては、褒め言葉が返ってくるはず。

ヤマト：あ、そこで「いえいえ、つまらないもので……」なんて言っちゃダメなんですね。

Lily：そうよ。日本人的な謙遜の口癖を出してしまうと、相手を困惑させてしまうから、Thank youと感謝の言葉が反射的に出てくるといいわね。

ヤマト：これは訓練が必要だな。Lilyさんは、母についてShe is so talented.って言ってくださいましたね。それにはどのように反応すればいいでしょうか？　Yes!って言うのも変だし。

Lily：あら、全然変じゃない。She is so talented!とか、She is so sweet!（やさしいですね）など、具体的な褒め言葉を言われたら、Thank you. I think she is great.（私もすばらしいと思います）とか、Thank you. Yes, she really is a sweet person.（実際にも優しい人なんです）とか、感謝の言葉とともに遠慮なく賞賛を受け入れて答えればいいの。

ヤマト：なるほど。やはり、Thank youと感謝の言葉ってことですね。

Lily：そう。覚えておいて。褒められたら感謝する。謙遜しない。

〈「脱・おりこうさん」まとめ〉
褒め言葉を享受するのは罪じゃない。感謝して楽しめばいい
It's not a sin to enjoy the words that praise you. Just be thankful and enjoy it.

褒められたとき、つい照れ隠しのように、謙遜して「いや、あんまり似合わないでしょ」とか「ああこれ安物なの…」とか言っていないでしょうか？　日本人は「褒められること」が苦手なようです。照れ隠しなのかもしれませんが、自分や身内が褒められると「いえいえ、とんでもない」と謙遜しがちです。

自分はもちろん、身内のことも褒められると落とさないといけないかのような感覚をもっているかもしれません。「優秀な息子さんね」と褒めると、その父親が「いやあ、うちの子なんて全然ダメなんですよ」と言ったりするので、欧米人はびっくりします。「ご主人、素敵ね」と褒めると「とんでもない。全然パッとしないですよ」などと妻が夫をけなすのもしょっちゅうあります。日本人は、自分の夫や妻をけなすことを「ユーモア」だと思い、リップサービスであるかのように、ついついそういったけなしジョークを言うことがありますね。毎年公募される「○○川柳」などは、日本語の面白さがわかるので好きなのですが、まさに「けなし川柳」だなと思うことがあります。ジョークでけなすことがコミュニケーションになっている文化なのかもしれませんが、このノリは、アメリカのみならず海外では絶対にNGです。妻のことを「ブスだ」なんて言う夫は最低だと思われますし、夫をけなす妻は悪妻以外の何物でもないです。子どもをバカ呼ばわりする親は虐待を疑われかねません。こういった身内けなしは、外国人の耳には暴言に聞こえてしまうので、ついつい癖で言ってしまわないよう気を付けましょう。

褒められたら、まず「ありがとう」です。Thank you の後に続けてアメリカ人がよく使う I'm proud of ～（～のことを誇りに思う）という表現は、家族や友人、後輩、部下などに頻繁に使われます。人を讃えるとてもよい表現です。アメリカ人は、他人はもちろん、身内のことも惜しみなく賞賛します。

◈Thank you. We are so proud of our son.
ありがとう。自慢の息子なの。

◈Thank you. He is so sweet to me.
ありがとう。彼、優しいの。

◈Thank you. I am lucky to have a wonderful wife like her.
ありがとう。彼女みたいな人が妻で幸せだよ。

洋服などを褒められたら

◆ Thank you. This is my favorite.
Thank you. I like it, too.
ありがとう。気に入ってるの。

もう1つ気を付けたいのが、人に贈り物をするときの表現です。日本人の慣例的なマナーが妙な空気を生むことがあるかもしれません。冒頭でのヤマトとの会話にも表れていたように、日本人はつい謙遜の言葉を発しがちです。何かプレゼントするとき、「つまらないもの」や「粗品」や「お口汚し」というような「品のよい謙遜」を言いがちですが、そういったものは、アメリカ人にあげてはいけません。「つまらないものですみません。お口に合うといいんですが。Sorry for this boring gift, but I hope it tastes OK.」などと言って贈答品を渡すと、きっと怪訝(けげん)な顔をされます。つまらないとわかっていてなんで持ってきたんだ！　それを楽しめ？　嫌がらせなのか？　と思われるかもしれません。「あなたのために選んだ素敵なプレゼントです」と言われたほうが、「つまらないもの」を渡されるよりも気持ちよく受け取ってもらえます。

こんな表現はどうでしょう？

◆ This is nothing fancy. But I would really like you to have it. I hope you like it.
豪華なものじゃないけど、あなたに差し上げたいんです。気に入ってくれるといいな。

It's nothing fancy, but ～（豪華なものではないですが）や、It's nothing special, but ～（特別なものではないのですが）は、まさに日本語の「つまらないものですが」という表現を嫌味なく自然に伝えられる英語表現なので、日本人としても使いやすいと思います。覚えておくと便利です。

心からの気持ちを素直に表現するという点で、英語はとてもストレートで気持ちがいい言語です。

◈Thank you for your complement.
褒めてくださってありがとう。

complementは「褒め言葉」や褒めてくれたこと自体に感謝するフレーズにもよく使いますので、覚えておくと便利です。

悪魔のささやき5
Noと言えるフェアな関係を築こう

仕事（勉強）を終えて帰ろうとすると、上司（先輩）に、まだ仕事（勉強）が残っているから手伝ってと言われました。あなたはどうしますか？

1. 断れないので、本当は嫌でも「わかりました」と手伝う

2. 「お手伝いしたいですが、約束があるんです」と適当な理由を付けて帰る

3. 「すみません。私は自分の分は終わったので帰ります」と言って帰る

4. 「帰りたいので、お手伝いできません」と言って帰る

ヤマトはやっぱり手伝ってしまうでしょうか？

Lily：Working late?（居残り？）

ヤマト：Well, Mr. Amano asked me if I could help him with the paperwork. So...（天野リーダーが書類の処理を手伝ってほしいって言うから……）

Lily：And you didn't say no, Again.（で、また断れなかったわけだ）

ヤマト：Well...（まあ……）

Lily：Why?（なんで？）

ヤマト：Well, it's OK.（まあいいんですよ）

Lily：日本人は、Noと言うことが苦手なようね。

ヤマト：そうですね、上司や先輩など、上下関係がある場合には、特にNoと言うことが難しいかもしれないです。

Lily：目上の人を敬うとか、先輩を立てるとか、そういう礼儀は、日本人が持っている独特の美徳だと思うけど……。

ヤマト：そうですね。そこは誇りに思える日本的な文化の一面だと思います。アメリカでは上下関係ってないんですか？

Lily：あまりないわね。あっても、日本の社会の上下関係とはちょっと印象が違う。アメリカの上下関係は、ポジションによる絶対的なルールのようなものではなく、経験値や功績度、能力を反映して自然に尊敬心からできあがるもののような気がするわね。そもそも、英語には尊敬語のような特別な表現ってものがあまり多くはないの。丁寧に話すくらいかな。それより、乱暴な言葉遣いや下品な話し方をしないようにするって感じかしら。

ヤマト：じゃあ、年齢とか、先に入社してるからとかは関係ない？

Lily：あまりないかな。アメリカ人には、「先輩＝立てないといけない人」という概念はないの。もし、ものすごく尊敬している人がいたなら、自然にその尊敬心が言動に出るでしょうけど、基本は対等。だから相手が先輩でも思ったことは臆せず、普通にズバッと言っちゃう。

ヤマト：たとえ上司や先輩でも？

Lily：時と場合によるだろうけど、まあそうね。仲のよい友達でも、はたまた見ず知らずの赤の他人でも、間違っていると思ったことなら、けっこう平気で指摘するかな。

ヤマト：日本人も間違っていることは指摘すると思いますが、まあ、目上の人の過ちだったら、自分さえ我慢すれば波風立たなくて済むような場合は、ことなかれ主義で行こうとすると思いますね。度合いや状況によりますけど。

Lily：でもそれって、裏を返せば、上下関係でつながっているだけで、お互いへのリスペクトや信頼にもとづいた関係ではないということにならない？　上司や先輩でも、きちんと話せばわかってくれる。そんな関係のほうが健全なはずよね？

ヤマト：わ、痛いとこつきますね。

Lily：相手のことを思うのなら、何が正しくて何が正しくないかに向き合うほうが、ハートのつながりとして大切だと思うし、そこはちゃんと伝えればいい。

ヤマト：なるほどね。確かに。

Lily：アメリカ人は基本的に「人は平等」という考え方、fairness、フェアプレイの精神を尊いと考えているの。

ヤマト：日本人だってもちろんそうですよ。

Lily：ええ、もちろん基本はそうだと思う。でも、日本の場合、上下関係が絡むとたんにそのフェアプレイ精神がちょっと縮んじゃって、代わりにことなかれ主義が入ってこない？

ヤマト：う〜ん、確かに。でも、日本人同士の会話の場合、相手の考え方もあるから、どうしてもしかたないと思いませんか。

Lily：そうね。日本人同士の日本語はどうしても考え方に寄せた会話になるわね。でも英語の場合はマインドを切り替えればいいの。思い切って発言しても、それが正しい主張ならきちんと受け入れてもらえるんだと信頼してみるといい。映画なんかで、誰かの指摘に対し、言われたほうがため息をついてYeah, you're right.などと言っているのを聞いたことはない？

ヤマト：あります。あります。「そうだよね。キミの言う通りだよ」と非を認める言葉ですね。そういうところは、アメリカ人はフェアで潔いなって思います。

Lily：なので、立場がどうであれ、正しいことは正しい、間違っていることは間違っていると言ってもいいの。

ヤマト：でもですよ、アメリカでも日本でもどっちでも、世の中そんなできた人間ばっかじゃないでしょう？

Lily：うーん、確かにそれはそうかもね。

ヤマト：でしょ？　だから、やっぱりそういう対応は人によるから、言い方には気を付けたいです。

Lily：なるほど。じゃあ、相手への敬意を表する意味で、まず非礼を詫(わ)びるようなひと言が文章の頭にあると、棘(とげ)がとれてうんと柔らかな表現になるわ。日本人の気配りのある言い方に近いわよね。たとえばこんな感じ。

◆Excuse me, but I need to get home and I can't help you. So, good luck.
すみませんが、帰らないといけないので、お手伝いできません。頑張ってくださいね。

◆I am sorry, but I'm done with my work. And I'll

go home.
ごめんなさい。でも自分の分は終わったんです。だから帰らせてもらいますね。

ヤマト：I see. ちなみに、ちょっとした抗議ならどんなふうに言うんですか？

Lily：お、悪魔の英語術を使いたいのね？

ヤマト：え？　まあ、言わないかもしれないですけど、知っておきたいなと。

Lily：じゃあ、こんな感じかな？

◆I hate to say this, but I don't think it's fair that I have to overwork.
言いにくいんですけど、私が残業しなきゃいけないなんて、フェアじゃないと思います。

ヤマト：なるほど。言いにくいことだけど、なんだろう、英語だったら意外と言える気がしてきた。

Lily：これで、言われたほうは自分に非があると認識しているなら、You're right. と潔く非を認めると思うな。もしくは何か事情があれば説明してくれるでしょうね。

ヤマト：なるほど。もし、それで相手がキレてくるようなら、きっとそれはその人の問題ですね。

Lily：そうね。きちんと伝えると相手は信頼を感じるはず。アメリカ人って、そういう信頼にもとづく関係が好きだし、大事にする。上下関係や年齢にかかわらず真摯な態度で接する。
それが、相手へのrespectだって思ってるわ。

〈「脱・おりこうさん」まとめ〉
上下関係じゃなく、一個人対一個人のフェアな関係でコミュニケーションしよう
We are all equal. So, we communicate as equal counterparts.

アメリカでは、フェアであることが大変重要視されています。差別問題とともに歩んできた国なので、フェアじゃないことは、人の道に外れ、恥ずべきことであると考えられているのでしょう。もしルール違反を犯したり、道理に反することが起きたりすると、アメリカ人は、相手が上司でも先輩でも友達でも見知らぬ人でも、Speak out（声に出して訴える）します。そういう正義感は強いと思います。

確かに正しい行動であるし、理屈ではわかっていても、こういった発言は勇気が要ります。また英語の微妙なニュアンスの違いなどから、伝えたいことが伝わらず誤解を生んだりしてもいけませんので、少し丁寧な言い方で、思うことを伝えてみるとよいと思います。あなたが釈然とせずにモヤモヤした状態でいることはよくないですし、相手にとっても、自分が原因であなたがモヤモヤしている状態であるのは、明らかにマイナスです。正直な気持ちを伝え、お互い理解し合うほうが、よい関係になるはずです。「約束があるんです」なんて、適当な言い訳をでっち上げる必要はないと思うのです。そのような適当な言い訳で相手の気分を損ねないようにするのは、手軽で楽かもしれませんが、人間関係の本質として少し寂しいですね。

悪魔のささやき6
恥ずかしさは自意識過剰かも

討論会に参加しないかと誘われました。イベントでの討論会で謝礼も出ます。あなたなら参加しますか？

1．そのような目立つことは、絶対やりたくない

2．謝礼は魅力だけど、自信がないし、恥かくと嫌だからやめておく

3．できるか心配だけど、経験にもなるし、謝礼も魅力なのでやってみる

4．経験になって謝礼ももらえるのだから、やらない選択肢はない

ヤマトは参加するでしょうか？

Lily：Would you be one of the panelists for the Debate in the event next month?（来月のイベントでの討論会でパネリストをしてもらえない？）

ヤマト：Oh, no. No way.（いやいや、無理っす）

Lily：Why not?（なんで？）

ヤマト：I don't know. I'm not good at talking.（さあ、話し下手なんで）

Lily：You'll be fine. It is in Japanese.（大丈夫よ。

日本語よ）

ヤマト：No, no no. I'm sorry. そんなの、超恥ずかしいですよ。

Lily：恥ずかしい？

ヤマト：恥ずかしいですよ。人前で話すのは勇気がいります。

Lily：そうなのね。

ヤマト：アメリカ人って、そういうの恥ずかしくないんですか？

Lily：その人の性格にもよるけど、多分全体的な比較をすると、日本人に比べて、アメリカ人は人前に出て話すことをさほど恥ずかしがらないと思う。

ヤマト：なんででしょうね。

Lily：うーん、慣れてるからかな？

ヤマト：慣れてる？

Lily：アメリカって小学生のころから、いやよく考えたらkindergartenからかもしれない、人前で話すことを当たり前のように経験させられる。

ヤマト：kindergarten......って、え、幼稚園？

Lily：そうよ。

ヤマト：どんなふうに？

Lily：たとえば、絵を描いたとするでしょ？　すると、その絵について、何をどう思ってどう表現したのか……とかをみんなの前でそれぞれが自分で説明するの。

ヤマト：なるほど。幼稚園のころのことは鮮明には覚えてないけど、そんなことはあまりしてなかったように思うな。どちらかと言うと、みんなで一緒に何かする。和とか、協調性を学ぶというか。和を乱すと叱られますしね。

Lily：それこそ、文化や考え方の違いよね。日本人は和の尊重を教え、アメリカ人は個性や自立に重きを置く。

ヤマト：確かにそれは大きな違いですね。

Lily：アメリカ人でももちろん人前で話すことが苦手って人はいるわよ。でも学校などでは人前で話す機会が多いから、みんなある程度慣れちゃってるのよね。

ヤマト：なるほど。そういう育ち方をするから、あんなふうに皆さんはっきりものを言うんですね。

Lily：日本人のヤマトからそう言われると、褒められてるのか、けなされてるのか、わかんないな。

ヤマト：褒めてるんですよ。というか、羨ましいです。僕なんか、人前で話すとなると、もうめちゃくちゃ緊張しますから。

Lily：そうなのね。単に控えめでおとなしいから発言しないのかと思ってたわ。でもね、英語の世界では、恥ずかしいからと黙ってしまうのは要注意よ。意見がない人って思われかねないから。

ヤマト：そうか。弱ったな。

Lily：何かやってみれば？　と提案したときに、「え、無理～!」って手のひらを前にして振って断るのって日本人特有だなと思うんだけど、そういう日本人の反応は、欧米人にはビックリされると思うわ。なぜ検討する前から「無理～!」なのか。

ヤマト：ああ、それは、恥ずかしいのがまず一番ですね。それから、やっぱり謙遜というのか、出しゃばっちゃいけないという意識があるのか、どうしても控えめにしようとする性質が根底にあるかもしれませんね。

Lily：なるほど。そういう面もあるのね。でも、英語で外国人と話していて、「I am no good! 私なんてダメです」なんて意味のことを言ったら、自分は謙遜のつもりでも、相手には本当に「ダメな人」だと思われかねないわよ。

ヤマト：それは大変だ。

Lily：真摯に応えれば、失敗しても誰もあなたのことを笑ったりしないから、トライしてみるほうがいいと思うな。

ヤマト：当たって砕けろですね。

Lily：砕けたりしないわよ。

ヤマト：どんな風な反応をすべきか、ちょっとアドバイスをください。

Lily：そうね。少しproactive（積極的）に何かにアプローチする表現を覚えてみましょう。

◆I will try.
やります。

◆I'll give it a try.
やってみます。

◆I will see what I can do.
できるか検討します。

◆I will think about it.
考えてみます。

◆Let me think about it.
考えさせてください。

◆It sounds fun!
おもしろそうですね。

Lily：提案を受けるなら、謙遜なしで答えるべきね。たとえば、こんな感じ。

◆That sounds like a good opportunity.
いい経験になりそうです。

ヤマト：なるほど。でも、そう言って積極的に参加するとなると、意見を求められますね。

Lily：意見を求められるような場面であれば、とにかく無言でいてはダメ。賛成しているなら「賛成している」ことをきちんと伝えるべきね。特に、自分の意見であることを示せるようにIを主語にして始めるといいわね。

◆I agree.
賛成です。

◆I like your idea.
いいアイデアだと思います。

◆I think that sounds great.
それ、とてもよさそうですね。

ヤマト：なるほど。

Lily：黙ったままだと「意見なし」と取られるだけ。でも、こういったフレーズだけでも発すると、自分の意見を述べたことになるわ。

ヤマト：でも、その後になぜその意見なのかというところをうまく英語で説明できそうにないです。英語力がそこまでないからダメなんだなあ。

Lily：またそんなこと言う。ジェスチャーでも何でも使って伝えようとする姿勢が大事よ。そうすると相手も「○○ってこと？」とか訊いてくれるでしょ？　そうすると、そこで1つ学びが積み上がる。何も言わないで黙ってしまえば、恥をかかなくて済むけど、歩みはない。自分にとって損よ。

ヤマト：なるほど。そういう考え方なのか。

Lily：そうよ。考えてみてよ。相手は日本語が話せないんだからおあいこじゃない。「英語を話そうとしてあげてる」くらいに思っておけばいいのよ。

ヤマト：それはまさに、「悪魔の英語術」の極意ですね。

〈「脱・おりこうさん」まとめ〉

人目よりも自分にとって有利なことを優先し、恥ずかしがらずに自分の考えを伝えよう。

Be yourself and speak up. They listen to you.

最近こんな会話を耳にしました。「前回のTOEIC受験のとき、会場の椅子が硬くてお尻が痛かった。座布団持っていきたいけど恥ずかしいからやめとく」それに対し「わかる。それはちょっと恥ずかしくてできないよね」と。え？　と私は思わず声を出しそうになりました。「大事なテストを万全の態勢で受けること」よりも「他人目線」を優先するの？　とびっくりしたのです。試験会場で出くわす人たちは、今後の人生で二度と会わないだろう人たちですから、そんな人たちの目を気にする必要なんてあるでしょうか。

こういった話は、アメリカ人の側からは発生しそうにないなと思いました。一番細やかに自分のことをケアできるのは自分自身です。アメリカ人は他人がどう思うかよりも、まず自分がどうしたいか、自分にとって何が大事なのかを第一に考えて行動するように思います。自分がすべきと思うことをする。良いと思うことを発言する。他人の意見は他人の意見。自分と違っていても別にかまわない。人目を気にしてそれに合わせようとはあまりしません。

前にも述べていますが、自分の意見を言うことはアメリカでは重要です。恥ずかしいからと黙り込んだり、自分の意見に自信がないので発言しないでいたりすることは、「意見なし」や「異議なし」ということ。つまり「存在なし」になってしまいます。そしてもっと怖いことに、ビジネスにおいては、「意見のない人」は「できないやつ」と思われかねません。アメリカ人は、反対や賛成はさておき、人の意見を尊重しますから、勇気をもってSpeak upしましょう。

無意識におりこうさんになってしまう

こういった例から浮き彫りにしたかったことは、一般的な日本人の言動の根底に、「相手や周囲の心情を慮（おもんぱか）る」というおりこうさん的な考え方が、無意識であっても存在するということです。相手に嫌な思いをさせたくないという思いやりの心情がもちろん一番強いと思いますが、同時に、波風を立てたくないといういわば「逃げ」のような気持ちや、さらには「嫌われたくない」というような自衛の心境があるのではないでしょうか。それも「おりこうさん」の一面だと思います。

一方、アメリカ人はと言うと、相手にかかわらず、割とお構いなしにズケズケとものを言う印象があります。アメリカ人って自己中心的で他者に対する思いやりがない、というように思えるかもしれません。しかし、必ずしもそういうわけではなく、low context、つまりしっかり言葉や文字で伝える文化なのです。また、お互いの反応の扱い方も違うと思います。たとえば、「お金返してよ」と言わないといけない場合、日本人なら、相手に恥ずかしい思いをさせてしまうかなとか、恥をかかせたことで気分を害するかもしれないなと想像して少々ストレスに感じると思います。また、言われたほうも、いやな空気にさせちゃったなと感じるかもしれません。しかしアメリカ人は、「相手はわかってくれる」という前提で発言します。言っていることが事実なら、相手は気分を害する理由がないわけです。万一気分を害したとしても、言われていることは認めます。もしくは何か反論があればそれを率直に伝えてくるので、むしろ双方が問題解決に近づくための合理的なやりとりと言ってもよいのではないかと思います。もちろん、ケース・バイ・ケースでいつもそうであるとは限りませんが、言われる側も同じ認識のため、悪いのは自分だと理解している状況なら、相手の言動を根にもったりしないはずです。

このように、アメリカの文化では、意見をきちんと言い合って、間違いがあればその間違いを素直に認める潔さがあり、お互いがそれを尊重しているのです。これは、アメリカ人の非常に良いところだと思います。ミーティングなどで、けっこうな激論を交わし、険悪なムードで言い合いをしていたとしても、ミーティングが終わると案外お互いケロッとして一緒にご飯を食べに行ったりします。

勝手にエアコンを調節されても、最後の1個のケーキを食べられても、誰も気にしたりしないのです。もし文句を言う人がいたとしても、それが本音であり、周りはその本音を額面通りに受け取ります。その文句に気分を害したりしはしないのです。こういったアメリカ人のマインドを理解しておくと忌憚のない会話ができるのではないでしょうか。

そして何より、アメリカ人のいいところは、たとえあなたの英語がつたなくても、あなたが何か発言すれば、一生懸命聞いてくれるというところです。英語力を評価するのではなく、あなたという人間を評価しようとしてくれます。伝わるか心配であっても、思い切って自分の考えや意見を伝えるようにしましょう。恥ずかしがったり失敗を恐れて口をつぐんだりしてしまうと、あなたの存在感が薄れ、やがて消えてしまうだけで、その地点から1歩も前進することはないのです。

このようなアメリカ人的なマインドは、実際にその文化に飛び込まないと学ぶことは難しいですが、日本にいながらにして学ぶ良い方法があります。映画や海外ドラマを観ることです。英語のみならず、話者の表情や、ジェスチャー、文化的な情報などにアンテナを立てて鑑賞すると、とても優秀な学習教材になります。

次章では、アメリカ人のマインドが垣間見られる映画を、いくつかLilyさんがヤマトに紹介します。

第2章

言語は文化。英語社会の文化を映画から学ぶ

いざアメリカ人のマインドを学ぼうと思っても、なかなか海外に行く時間が取れない人も多いと思います。
この章では、アメリカ人のマインドとその根底にある文化を学べるLilyさんおすすめの映画を、ヤマトと一緒に観ていきましょう。

映画で出会う魅力的な悪魔たち

Lily：日本人の目には、アメリカ人ってどんなイメージに映るのかしら？

ヤマト：そうですね、おおらか、フレンドリー、愛情表現豊か……。僕はそういうイメージをもっています。

Lily：すごくポジティブなイメージね。ありがとう。でもそれが行きすぎると、大袈裟でオーバーアクション、遠慮なくモノを言う、というような少々ネガティブな印象になっちゃうのね。

ヤマト：そうかもしれないです。それに、日本と比較すると治安がよくないので、犯罪率が高いですよね。正直言うと、暴力的で怖いというマイナスイメージも多少あります。

Lily：いずれにせよ、標準的な日本人のイメージとは大きく違うってことね。

ヤマト：やっぱりそもそもの価値観や考えの組み立て方に違いがあると、自然な英語表現を学ぶことは難しいですね。アメリカ人的なマインドを知るって、英語を話すうえでとても重要だと、Lilyさんと話していて痛感しているんです。

Lily：言葉はものの考え方を表すツールだもの。英語を話すマインドを知ると、コミュニケーションの理解を深めるだけじゃなく、より自然な英語表現で反応ができるようになると思うわ。それに、情報不足からくる誤解を減らせる。

ヤマト：英語を学ぶには、単語やフレーズを覚えたり、文法を理解したりといった具体的な学習が基本として必要なのはわかるのですが、それだけじゃコミュニケーションとして不十分だったり、本当に伝えたいことを表現できていなかったりする気がします。

Lily：英語に親しむ＝知るというところから、もう一段階踏み込んで、そこに根付く文化やそこで育まれたマインドにある程度かぶれることも、英語という言語を知る早道になるはずよ。

ヤマト：かぶれる、か……。外国かぶれって言葉があるんですよ。

Lily：外国かぶれ？　きっとよくない言葉ね。

ヤマト：そうですね。外国の文化にばっかり傾倒して、日本人らしさを失うのはよくないって感じですね。

Lily：それはナンセンスだわ。外国の文化を好きになることは、日本の文化を捨てることじゃないわ。日本人は日本人らしく礼節をわきまえるべき……と思う気持ちもわからないではないんだけど、そもそも英語は外国の言葉なんだもの。

ヤマト：確かに。郷に入っては郷に従えですね。

Lily：Go... 何？

ヤマト：日本のことわざです。郷はhome。つまり、「知らない場所に行ったらその場所の風習に従いなさい」って意味です。まさに、英語を話すのだから、英語のマインドで話さないと、ってことですよね。

Lily：じゃあ逆に、私は今日本にいるわけだから、日本語で話すときは、ちゃんと敬語が使えなきゃいけないってことね。ケンジョーもケンソンも使えないとだめだな。

ヤマト：遠慮したり謙遜したりするLilyさんをぜひ見てみたいな。

Lily：ヤマトがおりこうさんをやめるならね。

ヤマト：でもね、Lilyさん、おりこうさんのマインドって、日本人には子どものころから沁み付いちゃってるんですよ。防護服のように自分を守ってきてくれたんです。大げさに言うと、着ていると人気者になれる着ぐるみみたいなものです。それを脱ぎ捨てるのは勇気がいるし、むつかしいです。

Lily：でも、英語をやるなら、それを脱ぎ捨てて、体ごとどっぷりアメリカ式の「悪魔湯」に浸かる……そのくらいのイメージで「脱・おりこうさん」に取り組んでみると、新たな発見もあるはずよ。

ヤマト：思い切ってやってみるか。悪魔に変身。

Lily：アメリカ人＝悪魔、つまり無礼者ってことじゃ決してないのよ。人は誰しもよい人間でありたいと願っているでしょ？　これは大多数の人が持っている万国共通の心情だと思う。この倫理観はアメリカ人だって同じなの。ただ、それを表現する手法や目的、なぜそうするのかという理由に違いがあるのよ。

ヤマト：国や地域の歴史的背景や、宗教による死生観の違い、そんなものが考え方に影響するってことですね。

Lily：そう。そういった各国各地域の独特な背景をもとに文化や道徳的規準が創り上げられてきたはずなの。その違いを知るように歩み寄って、じっくり理解して、表現のヒントにすると、その国の言語がより身近なものになると思うのよね。

ヤマト：マインドの違いは、考え方の組み立て、つまり文章構成などにも顕著に表れるってことですね。決して侮れませんね。

Lily：そうよ。日本人がおりこうさんを脱するのはちょっと躊躇するかもしれないけど、現実としてアメリカ人は日本人に比べると、態度もガタイもでかいわけだから、その距離は埋めなきゃね。

ヤマト：アメリカ人と対等にコミュニケーションをとるためには、まずは、アメリカ人の文化を知って、彼らの言動の出元であるマインドに歩み寄るといいってことか。

Lily：たとえば、日本人にはオーバーアクションだと思えるアメリカ人の身ぶりなんかをまねしてみるのも1つよ。せっかくだから、悪魔的になるというスリリングな挑戦を楽しんでみればいいと思う。

ヤマト：とは言うものの、アメリカの文化を知るためにアメリカへ実際に行くには、時間もお金もかかります。しかも、このコロナ禍以降、海外渡航って、もうこれまでのように身近で日常的なものではなくなっちゃいました。さて、どうやってそこを埋めるか、Lilyさん、何かいいアイデアはありますか?

Lily：動かずして異文化を体験するいい方法がある

わ。

ヤマト：動かずして？　どうやるんですか？

Lily：簡単よ。異文化を疑似体験できるメディアを利用するの。映画や海外ドラマを英語で観ればいい。ちゃんとアンテナを立てて鑑賞すれば、目と耳の両方で多くの情報を得られるはずよ。

ヤマト：なるほど。映画か。

Lily：訪れたこともない未知の世界に生きる人々の考え方を覗き見たり、異文化を疑似体験したりできるとてもいい素材よ。たとえば、アメリカ人的思考の1つに「自分を押し殺すことをせず、本当に自分が思っていることを言う」ということがあるでしょ。これは、一般的に日本人がなかなかやらないことだから、実際にアメリカ人はどんな悪魔的思考でどんな悪魔的言動をしているのか、映画に登場するキャラクターの姿から学んでみればいいと思うの。

【他者の美学を認めつつ自分の美学を貫く】
『プラダを着た悪魔』

Everybody wants this. Everybody wants to be us.

ヤマト：Lilyさんおすすめの悪魔的キャラの映画って何かありますか？

Lily：いっぱいあって何をおすすめするか迷っちゃうな。

ヤマト：悪魔になれと説く「悪魔の英語術」ですから、何かとびきり悪魔的なのをお願いします。

Lily：じゃ手始めに文字どおり悪魔がタイトルに付いた映画『プラダを着た悪魔』なんてどうかしら？　英語のタイトルは "The Devil Wears Prada" 直訳だと「悪魔はプラダを着ている」ね。

ヤマト：聞いたことあります。人気の映画ですよね。主人公が悪魔なんですか？

Lily：ジャーナリストを目指す主人公が、有名ファッション雑誌の編集長のアシスタントになるんだけど、その編集長がプラダを着こなす悪魔なの。まるで自分が宇宙の中心であるかのように振る舞う彼女から出される無理難題に、健気に応えようと主人公が奮闘（ふんとう）するの。右往左往するそんな彼女の姿を面白おかしく描いてるコメディ映画よ。

ヤマト：じゃあ、主人公は悪魔にやられる側？

Lily：この映画の場合、強大な悪魔である上司に物おじせず、自分の考え方を貫こうとする主人公アンディの闘い方に共感が生まれて大ヒットしたんだと思う。上司の言うことには逆らわず受け入れる日本人を基準にすると、アンディの闘い方も、けっこう悪魔的だと私は思うわ。

ヤマト：なるほど。彼女もまた「自分」をしっかり持って主張するってことですね。でも悪魔のような上司って、つまりはパワハラ上司じゃないですか？

Lily：そうね、最初は一生懸命に、上司ミランダの無茶な要求に応えようとするアンディだけど、あまりの理不尽さに、これでいいのか？　と葛藤しはじめるの。

ヤマト：そりゃそうでしょ。

Lily：当然のように思えるんだけど、ところがね、それまでにもっとひどい目に遭い続けているはずの先輩エミリーの視点はまったく違う。原作小説の中では、同調するどころかはっきりアンディを叱責するの。“You don't understand anything!”（あんたは何もわかっちゃいない）と。

ヤマト：いやいやわかりようがないですよ、そんなの。

Lily：パワハラぎりぎりで、実社会なら倫理上は問題が大ありよね。でも、説得力があるのは、高級な洋服を身に纏うミランダの凛としてブレない姿勢と、誰にも凌駕できない絶対的な手腕なの。彼女の傍若無人な振る舞いは、単なるわがままじゃなく、「仕事を最短で最適に最高に仕上げるために必要不可欠なこと」であり、事実彼女には誰もが認める唯一無二の実力がある。そんな特別な人物のもとで働けることがどれほどすごいことなのか、あなたはわかっちゃいない！ってね。それをうまく表現しているセリフが何度も出てくるわ。

ヤマト：どんなセリフですか？

Lily：“A million girls would kill for this job.”

ヤマト：えっ、「100万人の女の子がこの仕事のために殺す」ですか？

Lily：そう。どんなことをしてでもこの仕事をゲットしたい娘がごまんといる、つまり「誰もが憧れる仕事」だという意味ね。この“A million girls would kill for this job.”ってセリフは、ファッションという華やかな世界に生きる人々のプライドが表れていると思う。

ヤマト：日本語だと「死ぬほど～したい」など、自分が死ぬという表現を使うと思うんですが、アメリカ人は目的のために人を殺すって表現になるんですか？　怖いな。まさに悪魔的だな。

Lily：「誰もが憧れる……」という表現の場合、つまり誰かを排除しなきゃ手に入らないわけでしょ。だから排除、つまりkillを使うのね。排除する必要がないことなら「死ぬほど～したい」って表現もあるわ。I'm dying to know if they are going out.とか。

ヤマト：彼らが出かけるのか死ぬほど知りたい？

Lily：going outは「付き合ってる」って意味なのよ。「あの人たち付き合ってるのか、もうどうしても知りたいの」っていう噂話の文句ね。誰かを排除しなきゃ手に入らない情報ではないわけ。

ヤマト：killは殺す相手がいるけど、dieは自分のこと……ってわけですね。

Lily：文字どおり、他動詞と自動詞ね。killは、相手、つまり目的語が必要な他動詞。dieは自分のことだから目的語が必要ない自動詞。

ヤマト：なるほど。それはわかりやすい。こんな物騒な単語で他動詞と自動詞の違いを実感するなんて、面白い。で、アンディはそのkillしてでも手に入れたいほどの仕事をどうするんですか?

Lily：それは映画を観てのお楽しみ。でもね、アンディとミランダがそれぞれの生き方を問うセリフが最後に出てくるわ。入院した先輩エミリーの代理としてアンディがパリのファッションショーへ同行したときの会話よ。
アンディは、ミランダから「あなたは私に似ているわ」と言われるんだけど、彼女は違和感を覚えるの。実はミランダは、長年献身的に勤めてきたベテランスタイリストを容赦なくクビにしたの。仕事に人情を一切持ち込まないミランダの冷徹さを目の当たりにして、こんな会話になるの。

ANDY：I don't think I'm like that. I couldn't do what you did to Nigel, Miranda. I couldn't do something like that.
私はそんなタイプじゃない。あなたがナイジェルにしたようなこと、私にはできないわ、ミランダ。あんなこと私にはできない。

MIRANDA：You already did. To Emily.
もうすでにやったじゃない。エミリーに対して。

ANDY：That's not what I... no, no, that was different. I didn't have a choice.

違う……いいえ、それは違うわ。私には選択肢がなかった。

MIRANDA：No no, you chose. You chose to get ahead. You want this life, those choices are necessary.

いいえ、あなたが選んだのよ。前に進むことを選択した。この人生が欲しいと。そういう選択は必要なのよ。

ANDY：But what if this isn't what I want? I mean what if I don't wanna live the way you live?

でも、もしこれが私の望むものじゃないとしたら？つまり、もし私があなたのような生き方を求めていないとしたら？

MIRANDA：Oh, don't be ridiculous, Andrea. Everybody wants this. Everybody wants to be us.

あらバカ言わないで、アンドレア。みんなこれを求めているの。みんな私たちみたいになりたいのよ。

ヤマト：「みんな私たちみたいになりたいのよ」って、ミランダ編集長は、本当に自分の仕事に自信があるんですね。その域に達するのは、ある

意味すごいですね。

Lily：そうよね。さて、アンディは、プラダを着た悪魔に魂を売らず、「人を殺してでもゲットしたい仕事」を捨て、自分の生き方を貫くことができるのでしょうか。

ヤマト：気になりますね。早く観たいです。

Lily：女性が主人公のファッションの話だけど、英会話のテンポがよくて、現代的な表現が学べるから、女性だけじゃなく男性も楽しめる映画だと思う。そういえば、1つとても面白い表現があったわ。

ヤマト：ファッションの話ですか？

Lily：そう。アンディが、面接のために初めて出版社を訪れたときのシーンなんだけど、その時点で、編集長ミランダは不在で、アンディは先輩エミリーの応対を受けているの。すると、急に社員たちの動きが慌ただしくなる。どうやら、ミランダ編集長の出社のようでね、スタッフ全員の尋常ではない反応で、ただならぬ人物が登場することがわかる。そのとき、スタイリストのナイジェルが周囲に大声で言うの。

Everyone, gird your loins!
みんな、気を引き締めろ！

ヤマト：なんですか？ 初めて聞きます。戦闘開始の号令みたいですね。

Lily：girdというのは聞きなれない単語よね。女性の下着のガードルのもとになっている単語でね、本来「巻く、絞める、身に纏う」という動詞なの。転じて「気を引き締める」という意味にもなるの。loinは「腰、腰部」。お肉の部位サーロインやテンダーロインはこの単語が使われているの。

ヤマト：ロインって腰の部分の肉って意味だったんですね。

Lily：Gird your loins! というのは、古代の風習から来ている表現よ。闘いの際に、古代の装束では長い裾が邪魔になるので、腰に帯を巻いて装束の裾を巻き込んだという習慣が由来なのだそうよ。

ヤマト：まさに戦闘開始の合図で間違いない。

Lily：ガードル、つまり補正下着が必需品であるファッション業界を舞台とするストーリーだから、お洒落な表現だと思ったわ。

＊日本版ではこのセリフが出てこないバージョンがあります。

『プラダを着た悪魔／The Devil Wears Prada』

公開年：2006

監督：David Frankel

脚本：Aline Brosh McKenna

原作：Lauren Weisberger

キャスト：Anne Hathaway, Meryl Streep, Emily Blunt, Stanley Tucci

【野望達成のための努力に必要な悪魔的思考を学ぶ】

『セッション』

There are no two words in the English language more harmful than "good job".

ヤマト：『プラダを着た悪魔』、観ましたよ。すごく面白かったです。モチベーションが上がりました。ミランダ編集長の悪魔ぶりにはビックリしましたけど、ある意味で、学ぶところも確かにありますね。

Lily：たとえば？

ヤマト：周りに遠慮せずにやるべきことをやり、言うべきことを言う。歯に衣着せぬ……というか、求める結果をちゃんと重視して、無駄な回り道をしない潔さ、ですかね。Lilyさんに教わってきた悪魔的なマインドがわかってきた気がします。

Lily：じゃあ、極端な例が続くけど、もう1人、歯に衣着せぬ悪魔を紹介するわ。震えあがるほど怖い先生よ。今度は男性の悪魔。若きジャズドラマーの"闘い"を描く『セッション』という映画なの。原題"Whiplash"は「鞭(むち)打ち」という意味。

ヤマト：タイトルからもうただならぬ怖さが伝わってきますね。なんか、ホラー映画みたいだな。

Lily：一流のジャズドラマーになることを夢見て、アメリカ最高峰の音楽院に進学した青年アンドリューと、その学院に君臨するカリスマ教官フレッチャーの闘いを描いていて、とても質のいい音楽映画でもあるわ。

ヤマト：音楽映画か、いいですね。アンドリューは才能があるんでしょ？

Lily：そこそこね。フレッチャーが率いるバンドに抜擢（ばってき）されると、ジャズミュージシャンとしての未来が確実に開けると知って、アンドリューは必死で練習するんだけど、フレッチャーが要求する音楽的技術はとてつもなくレベルが高くて、その要求に応えられないと、容赦ない罵詈雑言（ばりぞうごん）と厳しい体罰が降ってくるの。

ヤマト：それ、アカハラじゃないですか？

Lily：赤何？

ヤマト：アカデミック・ハラスメント。

Lily：ああ、power harassmentsがパワハラになるってやつね。日本語の省略は難しいわね。

ヤマト：英語に省略はないのですか？

Lily：あるわよ。OMGとか、LOLとか、知らない？

ヤマト：SNSで見たことがあります。どういう意味で

すか？

Lily：OMGはOh, My God. そして、LOLはLaughing Out Loud. 笑い転げる、つまり爆笑って意味。

ヤマト：それも難しいですよ。

Lily：まあおあいこね。でも覚えておくと、SNSなんかで英語のコミュニケーションをとるのに役立つわよ。GJはわかる？

ヤマト：えっと、Go...、いやGoodかな？

Lily：Good Jobよ。

ヤマト：よくやったって意味ですよね。

Lily：そう、一般的な褒め言葉ね。ただ、皮肉を込めて、失敗したときに「やらかしたな」という意味で使われることもあるので、多用は考え物だから覚えておいて。

ヤマト：そうなんですね。褒めるときにしか使わないのかと思っていました。

Lily：基本的にはそうよ。アカハラ教官のフレッチャーのセリフで、"Good Job"が褒め言葉の典型として印象的に使われているものがあるわ。

ヤマト：どんなのですか？

Lily：There are no two words in the English language more harmful than "good job".

ヤマト：えっと……難しい比較の文章ですね。

Lily：じゃあ、頭から順に考えましょう。

There are no two wordsは、「2語（熟語）は存在しない」という意味。どのような2語かというと、'more harmful than "good job"'、「"good job" 以上に有害な2語」ということ。

ヤマト：英語という言語の中で "good job" が最悪の2語だってことですか？　つまり、褒めて伸ばそうとするのはむしろ有害だと？「褒めて育てる」を完全否定じゃないですか。

Lily：まさにその通り。わずかなテンポの違いを表現できないことに苛立（いらだ）ったフレッチャーが、突然パイプ椅子を投げ、それがドラムに座るアンドリューの頭上スレスレを飛んでいくシーンがあるの。衝撃的よ。

ヤマト：え？　命中したら死にますよ。

Lily：アンドリューにカウントを取らせては彼の頬をはたいて、"Rushing or dragging?"（走ってるのか遅れてるのか?）と尋ね、正答するまで、何度も繰り返し頬を打つシーンは、正直胸が悪くなり、目をそむけたくなるわ。でもね、この映画は、恐怖に支配された青年が、その恐怖を克服することこそが、自らの野心を成就させる力となるのだと、そう錯覚するよう洗脳され、徐々に自分を追い込んでいく姿を描いているの。

ヤマト：「褒めて伸ばす」という観点は、アメリカでも教育の主流だと思ってました。

Lily：でしょ？　だから、このフレッチャーというキャラクターの教官としての対応には、鑑賞した人から賛否両論が巻き起こったのよ。実はその点は、映画の中でフレッチャーとアンドリューも議論しているの。

ヤマト：え、そんなに怖い存在なのに、アンドリューはその先生に議論を挑むんですか？

Lily：こういうふうに議論する点がいかにもアメリカ的で、注目すべきところだと思う。

ヤマト：ちなみにどんな論点なのですか？

Lily：実在のサックス奏者チャーリー・パーカーが、駆け出しのころに著名ドラマーのジョー・ジョーンズから暴力的なジェスチャーで酷評され恥をかかされるのだけど、その悔しさをバネに練習を重ねたことで一流になったという逸話があって。フレッチャーはそれを話して聞かせるの。ジョーンズの鉄拳制裁によるこの苦い経験こそが、パーカーを唯一無二の巨匠へと成長させる原動力になったのだと、そういう持論を展開する。

ヤマト：悔しさをバネに……ですね。

Lily：そう。「あのとき、もしジョーンズが、笑顔で

“Good job” なんて甘い言葉で許容していたら、パーカーは、ああコレでいいんだと思ってへたなまま努力もしなかったろうから、偉大なるチャーリー・パーカーがこの世に存在することはなかったろうよ」と。

ヤマト：で、アンドリューはなんと？

Lily：こんなふうに訊き返すの。

But is there a line? You know, maybe you go too far, and you discourage the next Charlie Parker from ever becoming Charlie Parker?

でも限度があるのでは？　行きすぎたら、未来のチャーリー・パーカーはやる気を挫かれてしまい、それが、パーカーがパーカーになるチャンスを妨げてしまうことになりませんか？

ヤマト：いいぞ！

Lily：でも、こう切り返される。

No, man, no. Because the next Charlie Parker would never be discouraged.

いいやならないね。なぜなら、未来のチャーリー・

パーカーは、絶対にやる気を挫かれたりはしないからな。

ヤマト：なんか妙に説得力があって、才能を育てるのは規律なのか、自由なのか、わからなくなりますね。しかし、反対に考えれば、Good Jobと言われたからといって、そのプレイヤーが努力せずにへたくそのままでいたとも思えません。

Lily：答えはないのかもしれない。いずれにせよ、ジョー・ジョーンズが、若かりし日のチャーリー・パーカーの演奏が不満でシンバルを投げつけたというエピソードは、事実ではないらしい。だから、フレッチャーの理論はこの逸話では成り立たないのよね。でも、フィクションとしてフレッチャーの視点を受け入れてみると、何かを極めるためにはどんなアプローチをすべきなのかを考えさせられる。

ヤマト：褒めて伸ばすだけで本当に良いのか。それでその人物が秘めている才能が開花し、100%のパフォーマンスを引き出すことができるのかってことですね。

Lily：そう。プッシュすることを躊躇したら、持てる才能を埋もれさせてしまうかもしれない。

ヤマト：そうであれば、それは本人にとっては計り知れない損失ですね。日本のスポ根マンガに描かれるような不屈の闘魂で、とことん自分を追い込んで克服することで、期待される以上のパフォーマンスが引き出されるという考え方も、一理ある気がしてきます。

Lily：どちらを取るのか、それこそが悪魔的思考で自分自身が判断すべきところね。

ヤマト：なるほど。世間の風潮や他人の意見ではなく、自分がどう考えるのか。判断は、結局はそこにしかないってことですね。

Lily：こういう二極に意見が分かれる話題は、debateにもってこいなの。

ヤマト：debateって、大統領選挙のときとかに候補者が意見を戦わせる……あれですか？

Lily：そう。大統領選じゃなくても、アメリカ人はけっこうふだんからdebateしてると思う。自分の意見をもって主張することが自然だから、debateが盛り上がるのよね。

ヤマト：そうなんですね。だからアンドリューも怖い教官相手であってもdebateできちゃうんですね。

Lily：音楽院に入学したばかりのアンドリューの場

合は、一流のジャズドラマーになりたい、そのためにはどうすればいいのか、誰かに示してほしい。何だってするから……という気持ちでいっぱいだから、教官から吸収したいことがたくさんあるんだと思う。

ヤマト：そんな状態だからこそ、その世界に君臨する教官の言葉に影響を受け、その成功哲学に心酔していくのでしょうね。

Lily：若いんだからそんなに自分を追い込まず、音楽を楽しめばいいのに……という親族の言葉に対し、1つの考え方に心酔し切ったアンドリューはこのように言ってのけるの。

I'd rather die drunk, broke at 34 and have people at a dinner table talk about me than live to be rich and sober at 90 and nobody remembered who I was.

酒乱で文無しのまま34歳で死ぬとしても、食事の席で人の話題にされるような人生がいい。金持ちで酒も飲まず90まで生きたのに、誰も覚えていないような人生よりはね。

ヤマト：rather～than...（…よりも、むしろ～）ですね。長寿でも無名で誰の記憶にも残らない人

生よりも、酒や薬で夭折（ようせつ）しても、伝説として生き続けるような人生のほうがむしろよい。

Lily：そうよ。ヤマトはそういう構文をたくさん知っているわね。すばらしい。

ヤマト：覚えていても、使いこなすまではまだほど遠いです。

Lily：いいのよ。映画などのセリフで知っている表現に出会うことが、英語力の強化にとても役立つのよ。言語の習得は、表現との出会いを繰り返すことだと思うの。日本人の子どもが日本語を学ぶのも、アメリカ人の子どもが英語を習得するのも全部同じ。

ヤマト：なるほど。この映画も、どんなdebateが繰り広げられるのか、セリフに集中して映画を観てみます。

Lily：ヤマトもdebateに参加してるつもりで、どんな意見を言いたいか、考えながら観てみてね。

ヤマト：そういうふうに映画を観るのも面白そうですね。やってみます。

Lily：音楽も楽しめるから、彼ら双方の心理を思いつつ、クライマックスを彩る圧巻の演奏に心を委ねてみて。

ヤマト：ドキドキしますね。

Lily：Brace for impact！（*「衝撃に備えてください」

航空機が不時着などする際の機内アナウンス)

『セッション／Whiplash』

公開年：2015

監督：Damien Chazelle

脚本：Damien Chazelle

キャスト：Miles Teller, J.K. Simmons

【ぶれない信念を失わない】

『フェノミナン』

I mean, I think you've got this desperate grasp on technology and this grasp on science, and you don't have a hand left to grasp what's important. ... You need to go now.

ヤマト：Lilyさん、『セッション』良かったです。でも、怖くて怖くて、悪夢にうなされそうでしたよ。悪魔の英語術を操るにしても、何かほのぼのするような映画ってないですか？

Lily：そうね。じゃあ、"Phenomenon"という映画はどうかしら？

ヤマト：聞いたことのない単語です。どういう意味ですか？

Lily：「現象」という意味よ。この単語はラテン語が語源で、単数名詞なんだけど、複数形はphenomenaと特殊な変化をするの。この単語がそのままタイトルになっている映画で、日本語タイトルもそのままカタカナ読みで『フェノミナン』。

ヤマト：phenomenonが単数でphenomenaが複数？

Lily：古代ギリシャ語やラテン語が語源の単語は、

こんなふうにちょっと変わった変化をするの。けっこうたくさんあるわよ。curriculum（カリキュラム）は単数で複数はcurricula。data（データ）は実は複数形で、単数ならdatum。

ヤマト：へえ、知りませんでした。それにしても、タイトルからは、SF映画のような無機質で冷たい印象を受けますが、これ、ほのぼの系なんですか？

Lily：ほのぼの系というか、生きることの意味を考えさせられる良質で味わい深い作品なのよ。

ヤマト：あらすじだけちょっと教えてください。

Lily：田舎町で小さな自動車修理工場を営んでいる主人公ジョージが、誕生日の夜に不思議な現象に見舞われるの。

ヤマト：お、phenomenonですね。どんな？

Lily：夜空に閃光（せんこう）を目撃すると同時に轟音が響いて気を失うの。それ以来、彼の体に不可解な異変が起こるの。

ヤマト：え、またちょっと怖い感じじゃないですか。どんなふうになるんですか？

Lily：異常に頭が冴えてきて、本を何冊もあっという間に読み終えてしまったり、面倒な日常の問題を瞬時に解決したり、超人的な活躍をするようになってしまうの。しまいには、念力でモノを動かしたり、わずか数十分で外国語を習得しちゃったり。

ヤマト：え、すごい。それ最高じゃないですか。

Lily：でもね、仲よくしていた仲間たちが次第に彼を畏れ、気味悪がってだんだんと距離をとるようになっていくの。

ヤマト：田舎町じゃありそうですね。孤立するのは気の毒だなあ。

Lily：でも主治医のドックだけは彼の体調を気に掛けて味方するの。急に天才のようになったジョージを仲間外れにする町の仲間に対し、ドックの怒りが爆発するシーンがあるわ。“Why do you have to tear him down?”って。

ヤマト：tear him down?　それはどういう意味ですか？

Lily：tearは、「テァ」と発音する。スペルは同じでも「涙＝ティア」とは違って、布や紙なんかを破るという意味の動詞なの。tear himで彼を破る、つまりけなすという意味になるの。

ヤマト：なぜdownが付くのですか？　動詞の表現でdownとかupが付くのをよく見かけるんですが、どういうニュアンスになるんでしょうか。

Lily：downは「下げる」なので、この場合、破って下げる、つまり「けなしまくる」ってイメージね。

ヤマト：じゃあ、upはポジティブなニュアンスですか？

Lily：特にそうでもない。「すっかり～しつくす」というようなニュアンスね。clean up は「すっかりきれいにする」、drink up（飲む＋上げる）なら「飲み干す」。

ヤマト：なるほど。主人公が "tear him down?" されたってことは、相当にひどい状況だったんでしょうね。そんなことが自分に起こっても、英語じゃうまく抗議できそうにないです。

Lily：人は怒ると感情をストレートに出すから、怒りの言葉って短い文章のつなぎ合わせが多いわ。実際にドックの怒りはこういうふうに続くの。

He wasn't selling anything!
He didn't want anything from anybody!
He wanted nothing from nobody! Nothing!
Nothing! And you people have to tear him down so you can sleep better tonight!
So ya can prove that the world is flat and ya can sleep better tonight!
Am I right?... I'm right...
The Hell with all of ya.

あいつは何か売りつけようとしてるわけでもない。
誰からも一切何も求めちゃいない。
何もだ。誰からも。何も！
なのにお前ら、奴をけなしたら今夜よく眠れるのかよ！
地球は平らだって言えばよく眠れるってのか！
そうなんだな？　そうかよ。
お前ら全員見損なったよ！

ヤマト：お医者さんの言葉にしては強烈で激しいな。キレちゃったわけですね。

Lily：ドックは、ふだんは穏やかな紳士なんだけど、明らかにフェアじゃないことに対して怒りがこみ上げ、町の皆から嫌われようとかまわないという姿勢で正しい発言をしたの。

ヤマト：自分の思うことをはっきりと主張する姿勢ですね。日本人が苦手とするところかもしれません。ことなかれ主義の人なんかは特に。

Lily：そうね。アメリカ人はこういう場合、しっかり発言する。本当に正しいと思うことは、相手が誰であろうと、相手の反感を買うことであろうと、きちんと述べる。そういう姿勢がアメリカ人のよいところだと思うの。

ヤマト：ジョージはどうなんですか？

Lily：彼も同じ。彼が、自分の考え方を相手に合わせて曲げなかったよいシーンがあるわ。高名な脳科学者が彼の脳を検査しようとやってくるの。

ヤマト：「脳を検査する」って危険じゃないですか？

Lily：そうなのよ。その学者は、ジョージの珍しい症例に心を奪われていて、1人の人間であるジョージの生命が危険に晒（さら）されることもいとわない態度なの。「君の脳は多くのことを我々に教えてくれるはずだ。この研究は、医学的な挑戦、いわば未知への旅、人類を探求の旅へといざなう。すばらしい貢献だ」と諭すの。

ヤマト：うーん、本人の身になると複雑ですよね。ジョージはどうするんですか？

Lily：彼はきちんと反論して、自分の意思をはっきりと述べるのよ。That's just my brain.（それは〈僕の貢献ではなく〉僕の脳の貢献でしょ?）とね。そしてこんなふうに続けるの。

I'm the possibility, all right? I mean, I think you've got this desperate grasp on technology and this grasp on science, and you don't have a hand left to grasp what's important.

僕自身が「可能性」なんです。わかりますか？　あなた方は、こちらでテクノロジーを握りしめ、こっちでは科学をつかんでいるんだろうけど、大切なことをつかむべき手が残っちゃいない。

What I'm talking about is the human spirit. That's the challenge. That's the voyage. That's the expedition. You need to go now.
僕が話しているのは人間の精神についてなんです。それこそが挑戦であり、旅であり、探求するってことなんじゃないですか。お帰りください。

ヤマト：かっこいい。完全にはねつけるんですね。
Lily：そう。しかも、高名な学者に対して自らの考えを物おじすることなくきちんと述べてる。
ヤマト：すばらしい。でも1つ教えてください。そのセリフの最後、"You need to go."なんですね。帰ってください、ですよね。どういうニュアンスですか？　人に「帰ってください」と言いたいとき、僕ならPlease leave.とか言いそうです。
Lily：もちろんそれでも通じるわよ。でも、"Please leave."だと、懇願（こんがん）しているニュアンスになるかな。逆に強めな表現で、"Get out."と言ってしまうと「帰れ」とちょっと乱暴な表現になるわ。
その点、ジョージが最後に口にする “You need to go.” は、短く何気ないひと言だけど、このシーンにおいて多くを物語っているの。

ヤマト：直訳すると「あなたは帰る必要がある」ですよね。

Lily：この表現には話者の強い意志が反映されていると言えるわ。「お話にならないのでどうぞお引き取りください」という丁寧ながらも「上から発言」をしている印象ね。この表現に、高名な科学者よりも、思考の面で上に立ったジョージの心情が見て取れるの。

ヤマト：なるほど。高名な学者は、知識は豊富だけど、ハートが貧しいってことですね。

Lily：まさにその通り。

ヤマト：あ、これ、僕が好きな小説のテーマに似てます。世界的ベストセラーの『アルジャーノンに花束を』って本です。

Lily：私も大好きな本よ。知的障害をもつ青年が、「頭がよくなる手術」を受けて、天才に変貌していくというストーリーね。ずっと憧れていた「頭のよい人」になることが現実となったとき、それは彼を幸福へと導くのか。人の価値は何をもって判断されるのか、確かに、この映画『フェノミナン』の根底にあるテーマは、それだと思うから、『アルジャーノンに花束を』に共通するわね。

ヤマト：頭の良さや回転の速さに価値観を置くのも1つの人の価値を測る材料ではありますけど、人間が生きるうえで本当に大切なことはそれだけじゃないということを、"You need to go."という学者への言葉にジョージは込めているんですね。

Lily：そう学者に告げるときのジョージの瞳は印象的よ。どんなに天才的な技をやって見せようとも、根底にずっと変わらぬ温かい心とぶれない信念をもつジョージは、自分という人間の価値は、頭の回転速度で判断されるんじゃないというメッセージを残すことで、自分自身の存在価値を最大限に示すの。彼の運命は一見「悲劇」であるかのように映るんだけど、何度観ても鑑賞後は自然と穏やかな笑顔になり、そして前向きに生きる勇気を与えてくれる素敵な映画よ。

ヤマト：ますます、早く観たいです。

Lily：Hope you enjoy it soon!

『フェノミナン／Phenomenon』

公開年：1997

監督：Jon Turteltaub

脚本：Gerald Di Pego

キャスト：John Travolta, Kyra Sedgwick, Forest Whitaker, Robert Duvall

【はみ出すことよりもトライすらしないことのほうが問題】

『リトル・ミス・サンシャイン』

A real loser is somebody that's so afraid of not winning. They don't even try.

Lily：『フェノミナン』どうだった？

ヤマト：もうすごく感動して、恥ずかしながら泣いちゃいましたよ。

Lily：恥ずかしがる必要なんてないじゃない。

ヤマト：男が映画を観て泣いたりしたら、変だって思われますよ。

Lily：人がどう思うかはどうでもいいんだってば。

ヤマト：あ、そうか。

Lily：それにもうそんな時代じゃないわよ。男はこうあるべき、女はこうあるべき、そういう型にはまらなくていいの。むしろはめるべきじゃない。

ヤマト：ああそうか、diversity（多様性）ってやつですね。

Lily：そう。diversityは、性別だけじゃなく、年齢や人種、宗教、障害の有無など、個々人の性質の違いを認めて受け入れるということ。型にはめるという概念は要らないの。

ヤマト：僕を含めて、多くの日本人が、まだまだ考え方の根底に型を捨てきれずにいて、はみ出すとおかしいという意識をもってしまっていますね。はみ出したくないというか、はみ出すのが怖いのかな。

Lily：そうかもしれないわね。身近なことで言えば、たとえば、流行のファッションを身にまとうのは、おしゃれという面ももちろんあるでしょうけど、変わった服装をして浮いてしまいたくないという心理も、少なからずあるんじゃないかなと思うの。

ヤマト：本当ですね。冒険して失敗することは避けたい心理からすると、流行は、いわば「型に収まる安心」を得るためのもののような気もしますね。

Lily：知らず知らずに型にはまろうとしていたことに気づいて、殻を破ることで大きく成長し、逆に「型破りな安心と連帯感」を得る家族の映画があるわよ。

ヤマト：面白そうですね。なんという映画ですか？

Lily：『リトル・ミス・サンシャイン／Little Miss Sunshine』というの。主人公はオリーブという小さな女の子。ちょっとぽっちゃりで眼鏡さんなんだけど、美少女コンテストに出ることを夢見ている小学生なの。とても利発でかわいい子よ。

ヤマト：ぽっちゃりで眼鏡さん？　なのに美少女コンテスト？

Lily：ほら、そういうふうに思っちゃうでしょ？　まさに無意識に型にはめて見てる。

ヤマト：ああ、そうか、そもそもオリーブちゃんが型破りなんですね。

Lily：というか、まだ小さいから、ある意味純粋で、型なんてあまり知らない状態ね。一方で、観客のほうはそもそも「型」で物事を見ていて、ストーリーの展開とともに、観客自身の固定観念に気づかされる。

ヤマト：型破りを体感させるという趣向の映画ですね。それは面白い。オリーブの家族はどんな人たちなんですか？

Lily：両親と兄、祖父と居候の伯父さん…というごく一般的な構成なんだけど、それぞれが皆ちょっとずつおかしな人物なのよね。お父さんは、自己啓発メソッドを売るビジネスを始めるという人生を賭けた大勝負にでたものの、さっぱりうまくいかないダメオーラが漂う人。おかげで一家は経済的危機に直面してる。

ヤマト：他の家族は協力的ではないのですか？

Lily：ティーンエイジャーのお兄ちゃんは、空軍パイロットになる夢をかなえるため、願掛けで「一切しゃべらない」と勝手に決めて筆談してるし、おじいちゃんはというと、いい年して言葉尻すべてに「fワード」を付けちゃって、毒舌と下ネタを連発しまくって周りをドン引きさせてるの。

ヤマト：また強烈に変わった人たちですね。

Lily：まだいるわよ。自称プルースト研究の第一人者である伯父さんは、物静かで一見普通そうなんだけど、実は「彼氏」にフラれて自殺未遂し、退院したばかりという曰く付きの人物なの。

ヤマト：なんと……！

Lily：唯一お母さんだけはこんな家族に振り回されつつも、なんとか皆を統率し、正常な方向へ軌道修正しようと試みるんだけど、彼女ももう疲れ切っていて、キレる寸前なのね。世の成功者たちが生きているRealm（範囲・領域）から、自分たちがはみ出してしまっていることに焦りや危機感があるのでしょうね。

ヤマト：精神的に崩壊しそうな、まったくもって危うい家族ですね。

Lily：そんな一家にある日朗報が舞い込むの。オリーブが「リトル・ミス・サンシャイン」という美少女コンテストの地区代表に繰り上げ当選するの。で、一家全員でバンに乗り込んで決勝の会場へと向かうことになるって展開よ。

ヤマト：それはよかった。でも、そんなメンバーだと事件が起こりそうですね。

Lily：そうなのよ。はたして無事到着できるのか？ そしてコンテストの結果は？ この映画は、そんな一家の珍道中から、コンテスト本番までを描いたロードムービーなの。

ヤマト：すごく面白そうですね。オリーブちゃんに頑張ってほしいですね。しっかり者そうだから大丈夫かな？

Lily：変な大人たちをよそに、コンテストで披露するダンスの練習に余念のないオリーブなんだけど、彼女は彼女なりに実は不安を抱えていて、そんな小さな胸の内を、自分にだけは優しいおじいちゃんにそっと打ち明けるシーンがあるわ。

OLIVE：I don't want to be a loser.

私、負け犬にはなりたくない。

GRANDPA：You're not a loser! Where'd you get the idea. You're a loser?

お前は負け犬なんかじゃないさ、オリーブ。なんでそんなこと言う？ 負け犬だなんて。

OLIVE：Because...! Daddy hates losers.

だって……！ パパは負け犬が嫌いだもん。

GRANDPA：Whoa, whoa, back up a minute. You know what a loser is? A real loser is somebody that's so afraid of not winning. They don't even try. Now, you're trying, right?

おいおい、ちょっと待て。お前は負け犬が何なのか知っているのか？ 本当の負け犬ってのは、勝てないことが怖くて、トライすらしないやつのことだ。お前は違うだろ？

OLIVE：Yeah.

うん。

GRANDPA：Well, then, you're not a loser.

なら、お前は負け犬じゃない。

ヤマト：おじいちゃん、めちゃくちゃいいこと言うじゃないですか。でも、Loserって言葉、なんかグサッときますよね。

Lily：確かにLoserという言葉は、「ダメ人間」みたいなニュアンスで使われることもある。

ヤマト：アメリカでは、負けたらダメ人間のレッテル貼られちゃうんですか？

Lily：そういうわけじゃないけど、やはり日本人に比べると、勝ち負けには敏感かもしれない。

ヤマト：オリーブは小さいのに勝たなきゃって思ってるんですね。優勝できるんですかね？

Lily：コンテストの結果がどうなるかを語ると、ネタバレになっちゃうんだけど、それこそ結果よりも、そこに至る過程にこの映画の重要なメッセージが込められているの。純粋で素直なオリーブの願いであるコンテスト優勝という目的のため、バラバラだった家族が徐々に心を寄せ始める。その過程で、他人の基準ではなく、自分たちのやりたいことを一生懸命やることの大切さをそれぞれが実感し、萎えてくすんでいた心に希望の光が灯るのよ。

ヤマト：一家の面々が、阿吽（あうん）の呼吸で何が大事かを悟り、一丸となって突き進む……ってことですね。

Lily：美少女の定義っていったい何なのか。それは誰かが決めたものであり、おそらくコンテストの優勝者はその型に最もフィットした少女だということなのではないだろうかと。我が家のオリーブこそが真に最高の美少女だと！

ヤマト：おお、すばらしい。なるほどそこですね、大事なのは。

Lily：この家族の変化に大きく貢献するのは、意外なことに毒舌のおじいちゃんなの。「お前はダメな奴だ」とふだんから息子を罵倒してばかりだったけど、事業に失敗し、落ち込む息子にかける言葉が優しいの。

Whatever happens, you tried to do something on your own, which is more than most people ever do, and I include myself in that category. You took a big chance. That took guts, and I'm proud of you.

なあ聞けよ。何が起ころうと……少なくともお前は自力で何かを成し遂げようとした。ほとんどの人間はそこまではやりゃしないってところまでな。わしも含めてだ。ガッツがいることだ。わしはそのチャンスをつかもうとしたお前を誇りに思っとる。いいな。

ヤマト：確かにグッときますね。I'm proud of you.（お前を誇りに思う）って、Lilyさんに教わった表現ですね。

Lily：お父さんには、一家の大黒柱としての責務があるでしょ。provide for the family（家族のために供給する）と英語でも表現されるようにfood on the table、「テーブルの上に食べ物」を毎日置かなくてはならないのよね。そのプレッシャーに、お父さんも押し潰されそうになっていたはず。理想のお父さん像の型から少々はみ出ていようとも、やるだけのことをやったというところに価値がある。そんな熱い言葉を、ふだん毒舌のおじいちゃんから聞くと、より感慨深いものがあるわ。

ヤマト：きっとそれは、大黒柱という型が、いかほどのプレッシャーを与えるものかをおじいちゃん本人もまた経験してきたからなのでしょうね。

Lily：そうね。

ヤマト：ところで、That took guts. って、「ガッツがいることだ」って訳すんですか？　ガッツは英語でもguts?

Lily：gutは腸とかはらわたって意味で、テニスなんかのラケットに張るガットも同じ単語よ。今はナイロンガットが多いけど、本来は牛の腸を使うのよ。

ヤマト：へえ、そうなんですね。ガッツって、よく日本語で使うから、和製英語かと思ってました。

Lily：He has a lot of guts.は、はらわたがいっぱい、つまり肝が据わってるって意味ね。このセリフ、That took guts.＝ガッツがいるは、大変なことだって表現。

ヤマト：なるほど。

Lily：この映画は、自分の好きなことを好きなふうに自分らしくやることではじけるオリーブをはじめ、家族それぞれが自分にとって心地よい生き方に気づくドラマなの。おじいちゃんがオリーブのために選んだダンス曲は、80年代の香りがする“Super Freak”って曲なんだけど、直訳すると「超変態」なのよ。

ヤマト：え、そんな怪しい歌、美少女コンテストにはまったくそぐわないじゃないですか？

Lily：そのはみ出し加減がこの映画のスパイスになっていて、「いいじゃん、別に」と思わせるの。まあ、このおじいちゃんに関しては、意外な展開もあるんだけど、鑑賞後に「さあ、気負わず明日もありのままの自分で頑張ろう。はみ出したっていいから！」とそう思える、きらりと光る素敵な映画よ。

ヤマト：今の僕にぴったりの映画かもしれないな。さっそく観てみます。ご紹介ありがとうございます。

Lily：My pleasure！

『リトル・ミス・サンシャイン／Little Miss Sunshine』

公開年：2006

監督：Jonathan Dayton, Valerie Faris

脚本：Michael Arndt

キャスト：Abigail Breslin, Greg Kinnear, Paul Dano, Alan Arkin, Steve Carell, Toni Collette

【目的へと突き進む強さをもつ】

『レオン』

I don't give a shit about sleeping, Leon. I want love, or death. That's it.

ヤマト：『リトル・ミス・サンシャイン』のオリーブちゃんは可愛かったですね。天真爛漫（てんしんらんまん）で癒されました。次はどんな映画を紹介してくださるんですか？

Lily：『レオン』なんてどうかしら？　主人公はやはり子ども、12歳の少女よ。オリーブとは正反対で、幼気（いたいけ）な心の奥底に復讐の炎を燃やす文字どおり悪魔的な少女よ。

ヤマト：ちょっと小悪魔的な？　その子、何でそんな風になっちゃったんですか？

Lily：麻薬売買に手を染める父親からは暴言や暴力を、無関心な継母からはネグレクト、そして義姉からのいじめ。そんな孤独で荒んだ日々を送ってきているの。

ヤマト：うわ、アメリカの社会問題ですね。

Lily：そうね。そしてある日、麻薬を横領している悪徳麻薬捜査官がアパートにやってきて、彼女の家族全員を惨殺してしまう。

ヤマト：なんと！

Lily：難を逃れたマチルダは、とっさに隣人レオンの部屋に逃げ込むの。その瞬間から、主人公2人の奇妙な関係が始まるの。レオンが尋常でない数の銃器を所持しているのを見てしまったマチルダは、単刀直入にこんな質問をする。

MATHILDA：Leon, what exactly do you do for a living?

レオン、正確に言うと、あなたの仕事は何なの？

LEON：Cleaner.

掃除屋さ。

MATHILDA：You mean you're a hit man?

殺し屋ってこと？

LEON：...Yeah.

……ああ。

MATHILDA：Cool.

ステキ。

ヤマト：この女の子は本当にしっかりしてますね。僕なら腰ぬかすか、気を失うだろうな。ちなみ

に、“What do you do for a living?”というのは、どういう意味ですか？　直訳では「生きるために何をしているのか」となりますよね？

Lily：職業を尋ねる質問よ。普通の会話でも使えるわ。そこに「正確には」というexactlyをわざわざ挟んでいるのは、「嘘はなしよ」と釘を刺す表現ね。隣人がプロの殺し屋だと知ったマチルダは、あるNegotiationを持ち掛けるの。

ヤマト：Negotiationですか？　交渉ですよね。それ、日本人の多くが苦手なやつだ。アメリカ人は得意そうですね。

Lily：そう、アメリカではNegotiationのやり方を教える小学校も多いもの。

ヤマト：そうなんですね。そりゃレベルが違うはずだ。交渉術に限らず、何かを話すテクニックなんて、学校で習ったことないから難しそうです。何かパターンがあるんでしょうか。マチルダは、どんなふうに交渉するんですか？

Lily：すごいわよ。破れかぶれになった彼女が瞬発的に披露するこの交渉術に、悪魔的な強さが垣間見えるわ。

How about this: I work for you; in exchange, you teach me how to clean. Hmmm? What do you think? I'll clean your place, I'll do the shopping, I'll even wash your clothes. Is it a deal?

これならどう? 私、あなたのために働くから、交換条件で私に「掃除」の仕方を教えて。ね、どう思う? 部屋を掃除して、買い物して、洗濯だってやるわ。いい条件でしょ?

Lily:このマチルダの交渉もそうだけど、単純にパターンとしては、「私はこうする、代わりにあなたはこうする。OK?」という形ね。

ヤマト:英語だと“I～, and you～. Is it OK?”でいいんですか?

Lily:基本の構造はそれでOKよ。

ヤマト:マチルダは最後に“Is it a deal?”と言っていますね。

Lily:dealは「取引」という意味で、商売などの取引や約束事で交換条件を持ちかけたときの決まり文句なの。なので交渉術としてはIs it a deal? のほうがIs it OK? (いいですか?) よりもより自分の提案に自信がある言い方になるわね。

ヤマト：なるほど。

Lily：殺し屋が、家事労働と引き換えに12歳の少女を助手として雇うなんて、ありえない交換条件だけど、この映画ではマチルダのこの悪魔的な交渉術が光り、敏腕ヒットマンは彼女のペースに巻き込まれてしまうわけ。映画の後半にも、彼女がレオンのボスに交渉を持ちかけるシーンがある。マチルダにとっては、生きるために必要な技能なのでしょうね。

ヤマト：なるほど、そうしてずっと一匹オオカミだったレオンと、青天の霹靂（へきれき）で天涯孤独となった少女マチルダの子弟関係が始まるんですね？

Lily：そう。でも、やがてレオンは、幼い彼女を危険な世界に引き込んだことを後悔して、決別しようとするの。

ヤマト：お、レオンの交渉ですか？

Lily：いえ、この場合のレオンの話術はPersuasion（説得）ね。

Nothing's the same after you've killed someone.
Your life is changed forever.
You have to sleep with one eye open for the rest of your life.

人を殺めたらすべてが変わっちまう。
お前の人生は永遠に変わっちまうんだ。
死ぬまで片目を開けたまま眠る羽目になるんだぞ。

ヤマト：おお、脅しに近い説得ですね。

Lily：伝えたいメッセージ、「人を殺めたらすべてが変わる」を提示して、具体的にどうなるのかを説く。「片目を開けて眠らないといけなくなる」つまり、殺し屋になったら常に自分も命の危険に晒され、ぐっすり眠ることすらできなくなるんだという結果を例に挙げているの。

ヤマト：なるほど、その説得に対して、殺し屋になりたいマチルダはどうするんですか？

Lily：まずは、片目を開けたまま眠らなければならないぞという脅しに対し、マチルダは、こんなふうに言うの。

I don't give a shit about sleeping, Leon. I want love, or death. That's it.
眠ることなんてどうだっていい、レオン。私が欲しいのは愛か死か。それだけ。

ヤマト：すごいな。

Lily：そして、また交渉を持ち掛けるの。しかも、交渉の切り札付きで。ロシアンルーレットよ。

ヤマト：ええ！　命を交渉の材料にするのですか？

Lily：そう。

MATHILDA: If I win, you keep me with you for life.

私が勝ったら、一生そばに置いて。

LEON: And if you lose?

で、負けたら？

MATHILDA: Go shopping alone, like before.

自分で買い物に行って。前みたいに。

ヤマト：あ、最初のNegotiationで持ち掛けた役務を持ち出してきてますね。すごい。

Lily：そうなの。そしてマチルダは引き金を……。

ヤマト：それ以上言わないで！

Lily：ネタバレになっちゃうわね。とにかく、悪魔の英語術を学ぶという点でのこの映画の見どころは、12歳の少女マチルダが、自分に降りかかった不幸を、受け身、受動的ではなく能動的に変えていくところ。希望を伝え、提案し、交渉し、なんとかして相手を納得させる。大人顔負けの言動力、行動力に注目して観てね。

ヤマト：なるほど。

Lily：あとね、この映画には、レオンとマチルダという魅力的なキャラクターの他に、一度見たら忘れられない強烈な悪役が登場するから注目よ。麻薬捜査官のスタンスフィールド。弟の復讐に乗り込んできたマチルダを捕まえた彼が尋ねるの。"Do you want to join him?"（弟のところへ行きたいのか?）と。

ヤマト：たいした悪徳捜査官ですね。マチルダはなんと？

Lily："No"と答えるんだけど、彼はさらに血も凍るような言葉を続けるの。ぜひ聴き取ってみてね。

STANSFIELD: It's when you start to become really afraid of death that you learn to appreciate life. Do you like life, sweetheart?

本気で死が怖くなり始めると、そこでようやく生きてることに感謝する。生きていたいかい、お嬢ちゃん？

MATHILDA: Yes.
ええ。

STANSFIELD: That's good, because I take no pleasure in taking life if it's from a person who doesn't care about it.
そりゃよかった。生きることなんてどうでもいいと思ってる人間を殺しても、楽しくないからな。

ヤマト：What a devil! ぞくぞくしますね。楽しみです。

『レオン／Léon』

公開年：1995

監督：Luc Besson

脚本：Luc Besson

キャスト：Jean Reno, Natalie Portman,
Gary Oldman, Danny Aiello

人種差別という悪魔

これまで本書では「悪魔的」という言葉を、「思っていることを臆することなく言う」といったようなアメリカ人の精神を日本人の英語上達のための重要な考え方として、扱ってきました。この章では映画からアメリカ人の精神性を紹介してきましたが、映画を観ることでアメリカの歴史も、同時に学ぶことができます。その際に避けては通れないのが人種差別問題です。この問題の「魔の領域」は悪魔的という言葉では決して形容できないほど、ひどく、暗いものですが、他国の社会を理解したうえで、本当の意味で、悪魔的な英語上達をするために、この章の最後に扱ってみたいと思います。

＊黒人という言葉をあえて使っています＊

ヤマト：映画に登場する様々な悪魔的なキャラクターを見てきましたけど、なんというか、アメリカ人がもつ、持論を主張する力ってホントにすごいですね。自然に出てきますもの。でも、もう1つ気づいたことがあります。

Lily：どんなこと？

ヤマト：主張する側に強さを感じるけど、受け手の側にも簡単にひるまない強さがあるなと。だから、アメリカ人には、あんなにも白熱したディベートを展開する力が備わってるんですね。そして、議論を交わすことが普通だと思ってるからか、議論の後も案外根に持たない感じですよね。

Lily：そうね。相手の意見を受け入れつつ、自分の意見を主張するのはアメリカ人のいいところよね。

ヤマト：アメリカ人はフェアなんですね。

Lily：そう思う。でも残念ながら、必ずしもそう簡単に言えない部分もある。アメリカ社会には、目を逸らすことのできない「魔の領域」があるの。人種差別問題よ。

ヤマト：ああ、確かに。

Lily：悪魔の英語術は、遠慮せずに主張する大胆なマインドを身に付けようって趣旨だから、ちょっと根本的に悪魔の意味が違ってくるけど、人種差別問題は、アメリカ文化を知るうえで避けて通れない悪魔的な問題だと思う。

ヤマト：それは、僕たち日本人にはなかなか理解が難しい問題ですね。

Lily：そう、2020年の夏、アメリカの1つの街からBLM（Black Lives Matter）というスローガンにて世界中へと波及し、大きな社会運動となった黒人差別反対運動は記憶に新しいわよね。BLM運動は、そのスローガンのイメージが浸透して力を帯びてくるにつれ、暴徒化や政治利用などの側面も問題視されて、今では一括りで語ることの難しい複雑な問題となっているわ。

ヤマト：そもそも黒人差別とは何なのか、どういう経緯で生まれたのか、これまでにこの問題に関連し、どのようなことが起こってきたのか、そして、黒人差別問題において平等とは何を意味するのかというところなど、一度しっかり学んでみたいです。

Lily：そもそも、日本に住む人々には、なじみのうすい問題かもしれないわね。

ヤマト：そうですね。肌の色によって人を差別するという心理は、島国に生きる日本人には圧倒的に経験が少ない。その本質を深く理解することは容易ではないです。しかし、何が怖いって、知らないまま海外で会話をし、気づかずに不適切な言動をしてしまう恐れがあることですよ。自分が無知な人間だと思われる分には致し方ないとしても、不必要に相手を怒らせたり、ましてや深く傷つけたりするような事態は避けたいですからね。

Lily：確かに。

ヤマト：でも、実体験することが難しい。

Lily：それもまずは映画で学ぶといいと思う。良質な書物などで学ぶことはもちろん有効だけど、映画でも、人種差別問題に関係する歴史や背景、差別する側、される側の心理を観察することができるわ。

ヤマト：何かそういった良質な映画はありますか。

Lily：そうね。アメリカにおける人種差別問題を学習するにあたっては、まずは、歴史的な背景、特に根源となる奴隷制度について学べる映画を何本か観るといいと思うわ。

ヤマト：あ、そういえば、僕『それでも夜は明ける／12 Years a Slave』って映画観ました。すごく力強い映画でした。

Lily：いい映画ね。奴隷ではなかった実在の自由黒人が誘拐され奴隷として農場に売られてしまう悲劇の記録ね。

ヤマト：実話なのですか？　自由黒人とは？

Lily：自由黒人というのは、つまり仕事で渡来した黒人や解放奴隷、逃亡奴隷、奴隷外の2世など、法的に奴隷ではない黒人のこと。『それでも夜は明ける』の主人公ソロモン・ノーサップは音楽家だったの。

ヤマト：そうなんですね。もちろん奴隷として連れてこられた多くの人々の不幸は、筆舌に尽くしがたいものと想像しますが、自由な立場にあった人がそんな目に遭うとは、なんとも理不尽な話ですね。

Lily：実話と言えば、奴隷労働から逃亡しようとする黒人奴隷を、国境を越えてカナダへと導いて逃がし続けた元・奴隷の女性車掌がいて、その姿を描いた『ハリエット／Harriet』という映画もいいわよ。実話だと説得力があるし、植民地時代から解放されるまでの奴隷の厳しい生活について知る参考になるわ。

ヤマト：黒人奴隷は解放された後も、差別が続くんですよね。

Lily：そう。同じ部屋で食事ができず、レストランに入れなかったり、トイレが別々だったり。でもそういった状況を変えようにも、選挙権がない。

ヤマト：あ、それで公民権運動が起こるのですね。

Lily：そう。公民権運動が激しさを増した1960年代の状況を知る映画もたくさんあるわ。マーティン・ルーサー・キング牧師の活動の史実を描く『グローリー／明日への行進／Selma』

などは、とてもよい教材になるわ。

ヤマト：原題は、Selmaですか。

Lily：Selmaはアラバマ州の町の名前で、「血の日曜日」と呼ばれる事件の舞台となった所よ。60年代半ば、平等な投票権を求めるため、非暴力のデモをキング牧師が指揮したんだけど、阻止しようとした州警察との衝突で、多くの死傷者を出してしまった事件なの。非暴力を貫こうとしたがために、多くの犠牲者を出してしまった。平等を求めるという思想を貫くことの厳しさに苦しむキング牧師の姿を描いているの。

ヤマト：僕、キング牧師のスピーチを英語の授業で勉強したことがあります。言葉の繰り返しが効果的で印象に残っています。もう一度聞きたいな。"I have a dream."ってやつです。この映画にもあのスピーチが出てくるんでしょ？

Lily：それが出てこないの。

ヤマト：え、なんで？

Lily：そこは大人の事情というか、偉人のスピーチにも著作権があって、この映画には使用権がなかったようね。

ヤマト：なんだ。残念だな。

Lily：でもね、そこにまたいい英語の学びが1つあるのよ。この映画は、脚本家がキング牧師の話法を研究して、独自のスピーチをセリフとして創作したらしいの。本当にキング牧師の言葉に聞こえるから、改めて英語の話法の効果に気づかされたわ。

ヤマト：どんな話法ですか？

Lily：ヤマトが言っていた言葉を繰り返してインパクトを強める話法よ。黒人の選挙権を求めるこの一連のデモ活動の最中にね、ジミー・リー・ジャクソンという青年活動家が命を落とすという不幸な事件が起きるのだけど、映画の中でキング牧師は、彼の葬儀のシーンでこのように演説をするの。

Who murdered Jimmie Lee Jackson?
Every white lawman who abuses the law to terrorize.
Every white politician who feeds on prejudice and hatred.
Every white preacher who preaches the Bible and stays silent before his white congregation.
Who murdered Jimmie Lee Jackson?
Every Negro man and woman who stands by without joining this fight as their

brothers and sisters are brutalized, humiliated, and ripped from this Earth.

ジミー・リー・ジャクソンを殺したのは誰だ？
法をテロ行為に利用するすべての白人弁護士なのか。
偏見と憎しみの助長に手を貸すすべての白人政治家なのか。
自分たちの白人教会で、聖書の教えを説くだけで沈黙するすべての白人聖職者なのか。
ジミー・リー・ジャクソンを殺したのは誰だ？
この地の上で、自分たちの兄弟姉妹が痛めつけられ、辱められ、引き裂かれているというのに、闘いに参加しようともせず、ただ立ち尽くしているすべての黒人男性、黒人女性なのではないのか。

ヤマト：なるほど。主張を同じ文体で繰り返し、聴衆の脳裏に沁み込ませ、印象を焼き付けるという、キング牧師が多用した演説手法が顕著に表れていますね。人を説得する文章を書くときなんかには、とても参考になりそうですね。

Lily：そうなの。師のメッセージのもつ力を余すところなく表現してる。当時の差別の根深さやそれに対する黒人の憤りの心情を交え、非常に痛ましいシーンも多い映画だけど、この問題について理解を深める手助けになる良作よ。

ヤマト：同じようなテーマで最近の作品も何かありま

すか？

Lily：ごく近年に起きた実際の事件を扱う作品がある。白人警官による黒人青年の殺害事件を描く『フルートベール駅で／Fruitvale Station』という作品。BLM運動の引き金となったジョージ・フロイド事件を彷彿（ほうふつ）とさせ、人種という先入観の恐ろしさについて深く考えさせられる内容よ。武器も所持せず無抵抗だったにもかかわらず、ある青年が、サンフランシスコのフルートベール駅で、駆け付けた警官に、なんと背後から射殺されてしまったの。

ヤマト：なんと痛ましい……。なんでそんなことが？

Lily：不幸な誤解や偶然が重なって起こった事件だけれど、1人の無実の若者の命が奪われたことは本当に痛恨の極みよね。この映画は、被害者オスカーのわずか22年という短い人生の最後の1日を追っていて、息子であり、パートナーであり、小さな娘の父親である1人の人間の命が、ある日突然に理由なく奪い去られてしまうという不条理さと、残された者の中に残る喪失感を描いているの。

ヤマト：小さな娘さんがおられたのか。

Lily：亡くなったオスカーの娘タティアナは、当時4歳だったそう。映画の中で、オスカーと彼のお母さんワンダとのこんな会話が描かれているの。「タティアナにポップコーンを作ってたらね、あの子こんなこと訊くんだよ」と、お母さんが孫娘の言葉を思い出して語るシーンよ。

WANDA: She says "Grandma, do we have any dark butter?"

あの子、「おばあちゃん、ダークバターある?」って訊くんだよ。

OSCAR: Dark b... what's dark butter?

ダークバター……って何、それ?

WANDA: I say "Sweetheart, what's dark butter?". And she said 'Well, when my daddy took me to see WALL-E, he asked for light butter. So now I want to try some dark butter this time.'

私が「ダークバターって何なの?」って訊くとね、こう言ったのよ「パパが『ウォール・イー』に連れてってくれたときにね、ライトバターで、って注文したの。だから今度はダークバターで食べてみたいなって思ったの」

ヤマト:え、ライトバター?

Lily：lightっていうのは、軽いって意味があるでしょ。ライトバターはつまり、低脂肪のバターという意味なのよ。

ヤマト：なるほど。でもダークバターって？

Lily：そこが悲しいの。タティアナにとってlightという単語は、肌の色skin colorを表現する単語という認識しかなかったのでしょうね。light skinは白人、それに対してdark skinは黒人なの。

ヤマト：あ、そういうことか。

Lily：で、利発な少女は、自分が知っている反対語に置き換えて、黒っぽい色のバターがあると思ったのでしょうね。これが本当にあったエピソードかどうかはわかんないけど、日々の生活の中で言葉を吸収していく年ごろの黒人の子どもにとっては、lightという単語の反対語はdarkなるんだって、はっとしたわ。

ヤマト：その人種の人は、日々そういう意識で生活してるってことなんですね。

Lily：そうね。人種によって文化は異なるから、インプットされる言葉の種類やその使い方も異なる。その繰り返しで1人の人間が、自分が生きる世界についての認識を形成してゆくのだと感じたわ。

【この節で紹介した作品データ】

『それでも夜は明ける／12 Years a Slave』

公開年：2014

監督：Steve McQueen

脚本：John Ridley

原作：Solomon Northup

キャスト：Chiwetel Ejiofor,
Michael Kenneth Williams, Michael Fassbender,
Lupita Nyong'o, Benedict Cumberbatch

『ハリエット／Harriet』

公開年：2020

監督：Kasi Lemmons

脚本：Gregory Allen Howard, Kasi Lemmons

原作：Gregory Allen Howard

キャスト：Cynthia Erivo, Janelle Monáe, Leslie Odom Jr.

『グローリー／明日への行進／Selma』

公開年：2015

監督：Ava DuVernay

脚本：Paul Webb

キャスト：David Oyelowo, Carmen Ejogo, Oprah Winfrey

『フルートベール駅で／Fruitvale Station』

公開年：2014

監督：Ryan Coogler

脚本：Ryan Coogler

キャスト：Michael B. Jordan, Melonie Diaz, Octavia Spencer, Ariana Neal

White Saviorという悪魔

ヤマト：そういえば、僕、この間『ザ・ヘルプ　心がつなぐストーリー／The Help』という映画を観ました。ジャーナリスト志望の若い白人女性が、黒人メイド達の本音をインタビューして記事にまとめる過程で、差別問題を知ってゆく姿を描いた作品で、すごくよかったです。ああいう映画も黒人差別について学べるいい映画ですよね。しかも大ヒットしましたし。

Lily：黒人差別にスポットを当てて描く映画でヒットを記録した作品はたくさんあるわ。古くは、冤罪(えんざい)で裁かれる黒人青年を弁護する白人弁護士の闘いを描いた『アラバマ物語／To Kill a Mockingbird』や、娘の彼氏が黒人だったことで動揺する白人夫婦の心の葛藤を描く『招かれざる客／Guess Who's Coming to Dinner』

などが、クラシックな名作として有名よ。

ヤマト：昔からそういう映画で有名なのがあるんですね。メモします。

Lily：人種差別をテーマにした力強い作品は、コンスタントに多く作られているわ。有名な作品がたくさんある。60年代に実際に起こった黒人活動家殺害事件を題材にした『ミシシッピー・バーニング／Mississippi Burning』や、ベストセラー小説の映画化で法曹界の差別問題を扱った『評決のとき／A Time to Kill』なども観ごたえのある作品よ。

ヤマト：なるほど。ごく最近でも、多くの話題作がありますよね。『グリーンブック／Green Book』なんかそうですよね。黒人ピアニストと彼に雇われた白人運転手が、黒人専用の旅行ガイド「グリーンブック」を頼りにツアーを行ううちに心を通わせるというストーリーです。

Lily：そうよ。『ドリーム／Hidden Figures』という映画もある。NASAのアポロ計画において重要な働きをした実在の黒人女性スタッフ3人にスポットを当てた実話。それから、ホームレスだった黒人少年を養子として引き取り、一流のアメフト選手に育てあげた白人女性の実話も『しあわせの隠れ場所／The Blind Side』

という映画になったわ。ヤマトが観た『ザ・ヘルプ　心がつなぐストーリー／The Help』も高評価の映画よね。

ヤマト：アメリカ国内でも、こういった差別問題を扱う映画に対する関心が高く人気があるんですね。意識が高いってことですね。

Lily：でもね、今挙げた作品すべてには、共通して潜む問題点があると議論されているの。

ヤマト：問題点？　黒人が直面する問題に気づき、疑問をもって、改善していこうとする姿はすばらしい。感動を呼ぶストーリーなのに、どんな問題があるんでしょうか？

Lily：いわゆる“White Savior”（ホワイトセイヴィヤ）的な映画だという点よ。

ヤマト：White Savior？　白い……救世主？

Lily：そう。つまり、広い心をもつ「白人の救世主」が、弱く劣った立場の黒人の味方になって、救いの手を差し伸べるという構図を取っているという点。

ヤマト：僕なんか素直にいい話だと思っちゃいますけど、White Saviorを登場させることの問題は、どこにあるのですか？

Lily：白人の優位性を際立たせると同時に、黒人は白人の助けがないとダメなのだというステレオタイプの刷り込みを助長するという指摘があるの。

ヤマト：なるほど。具体的にはどんなふうにでしょう？

Lily：たとえば、『ザ・ヘルプ　心がつなぐストーリー』は、黒人メイドを可哀そうな存在として描き、そこに白人女性の救世主が現れて、彼女らの代弁をする。White Saviorの構図そのままよね。

ヤマト：ええ？　だけどそんなことだってありえるじゃないですか？

Lily：黒人メイドが白人に本音を語るなどという行動はまったく現実的でないという批判が沸き起こったらしいわ。また、原作者の兄のメイドだった女性が、明らかに自分をモデルとした描写で名誉を傷つけられたとして原作者を訴えるにいたっているの。訴えはのちに取り下げられたらしいけど、黒人メイドを演じた俳優のヴァイオラ・デイヴィス（Viola Davis）は、白人目線で語られたこの作品に出演したことを後悔していると有名雑誌のインタビューで述べているそうよ。

ヤマト：そうなんだ。なんか単純に受け止めすぎているんですね。でも、『グリーンブック』なんかは、確か実話ですよね？

Lily：『グリーンブック』で描かれている黒人ミュージシャンと彼の白人運転手は実在していたそうだけど、双方の遺族がそのような心温まる交流はなかったと述べているそうよ。同じく実話である『ドリーム』に至っては、ストーリーの中心に実在しない白人の上司（Kevin Costner）を作り上げて登場させ、彼にWhite Savior的な働きをさせている。3人の女性は白人男性の助けを借りて仕事をしたわけではないのに、そこにヒロイックで感動的な盛り上がりをわざわざ仕掛けているのね。

ヤマト：そうなんだ。

Lily：まだあるわよ。『しあわせの隠れ場所』については、のちにNFL選手となったマイク・オアー氏本人が、白人家庭に引き取られるまでは文字も満足に読めず、白人に教えてもらわないとアメフトのルールすら知らなかったかのように描かれたことに対し、不快感を示したそうよ。

ヤマト：なんか、ショックであると同時に、腹が立ってきたかも。

Lily：まさに、知らないで黒人の人にこういう映画が好き！　なんて熱く語ったら、ドン引きされる可能性があるわよ。

ヤマト：聞いておいてよかったです。White Savior視点ではなく黒人差別を描けている映画ってないんですか？

Lily：黒人映画監督のSpike Leeが制作した作品は、当然ながらWhite Saviorの概念はないわ。でもね、「結局黒人は救われないんだ」という憤りを描いた映画である印象が強くて、いわばNo Saviorね。代表作『ドゥ・ザ・ライト・シング／Do the Right Thing』では、黒人と白人がいがみ合って、ついには黒人男性が、白人警官の過剰対応で殺害されるというフロイド事件を予言するかのような描写があるの。

ヤマト：それは、結論として「解決できない問題なのだ」と言っているかのようですね。

Lily：Lee監督のメッセージはそれが現実であるということに目を向けることで、人種差別を強く非難しているのだと思うわ。他にも幾つか、White Savior視点ではない力強い作品をピックアップしてみるね。

ヤマト：そうだ。『ブラック・パンサー／Black Panther』は、初の黒人のヒーローに黒人悪役をやっつけさせるという「斬新」な設定のスーパーヒーローもので、いいんじゃないですか。全米で大ヒットしましたよね。

Lily：ああ、そうなの。スーパーマンやスパイダーマン、アベンジャーズなどと肩を並べるほどの黒人スーパーヒーローが登場したことは、黒人の子どもたちの心にそれまで持ち得なかったpride（誇り）の種を植え付けて、計り知れない貢献をしたの。スーパーヒーロー＝白人では必ずしもなくなった、ということの意義は大きいわ。

ヤマト：主演のChadwick Bosemanはガンで亡くなっちゃいましたね。

Lily：この特別なミッションを担う作品の続編を期待するファンにとっては、本当に残念なことよね。でも、キャストも制作スタッフもほぼ全員黒人という、通常のハリウッド映画の人種分布を正反対の方向に覆したから、記念碑的な作品ね。

ヤマト：しかも、それを大ヒット作品にするというのは快挙ですね。Lilyさんの今一番のおすすめは何ですか？

Lily：そうね、黒人弁護士が書いた『黒い司法0％からの奇跡／Just Mercy』というノンフィクションを読んだんだけど、映画化作品もとてもよかった。著者が冤罪で起訴された黒人男性を弁護する経験をつづっているの。誰でもいいから犯人を求める警察が、ちょうどいい感じの黒人を犯人にでっち上げる。こんなにも悪質なでっち上げが横行していたのかと憤りを覚えるわ。こういった警察と法曹界の悪しき慣習が今に引き継がれて、フロイド事件のような問題が起こる要因の1つになっているのかもしれないと思ったわ。

ヤマト：冤罪は許されないですが、残念ながら、実際の犯罪については、被害者も加害者も黒人が関わることが多いのも事実ですよね。

Lily：黒人の犯罪者や被害者が多いことの理由は、負の連鎖ね。その連鎖を断ち切ろうと奮闘する教師を描いた映画がある。『コーチ・カーター／Coach Carter』よ。アフリカ系の有名俳優 Samuel L. Jackson が人間味溢(あふ)れる高校のバスケットボール部のコーチに扮しているわ。低所得層の部員たちに教育の重要性を説き、全員が高校を無事卒業し、さらに大学進学ができるように意識改革に尽力するというストーリーなの。この作品も実話だけど、黒人のコーチが黒人や白人、ヒスパニック系を含む様々な人種の落ちこぼれ生徒を救うという構図よ。低所得層の若者にとって、教育の欠落が職業の安定を阻み、悪くすれば命を落とすことに繋（つな）がるんだとデータを引用して力説するシーンが印象に残ったわ。テーマは非常に重いんだけど、ハッピーエンドであるのが嬉しい映画よ。

ヤマト：White Savior って、恥ずかしながら知らなかったな。そういうのを登場させず黒人目線で綴られる味わい深い秀作は、実は多数存在しているんですね。

Lily：もっと知る機会、観る機会があればと思う。

【この節で紹介した作品データ】

『ザ・ヘルプ　心がつなぐストーリー／The Help』

公開年：2012

監督：Tate Taylor

脚本：Tate Taylor

原作：Kathryn Stockett

キャスト：Emma Stone, Viola Davis,
Octavia Spencer

『アラバマ物語／To Kill a Mockingbird』

公開年：1963

監督：Robert Mulligan

脚本：Horton Foote

原作：Harper Lee

キャスト：Gregory Peck, Brock Peters

『招かれざる客／Guess Who's Coming to Dinner』

公開年：1968

監督：Stanley Kramer

脚本：William Rose

キャスト：Spencer Tracy, Sidney Poitier, Katharine Hepburn

『ミシシッピー・バーニング／Mississippi Burning』

公開年：1989

監督：Alan Parker

脚本：Chris Gerolmo

キャスト：Gene Hackman, Willem Dafoe,
Frances McDormand

『評決のとき／A Time to Kill』

公開年：1996

監督：Joel Schumacher

脚本：Akiva Goldsman

原作：John Grisham

キャスト：Matthew McConaughey, Sandra Bullock, Samuel L.
Jackson

『グリーンブック／Green Book』

公開年：2019

監督：Peter Farrelly

脚本：Nick Vallelonga, Brian Hayes Currie, Peter Farrelly

キャスト：Viggo Mortensen, Mahershala Ali, Linda Cardellini

『ドリーム／Hidden Figures』

公開年：2017

監督：Theodore Melfi

脚本：Allison Schroeder, Theodore Melfi

原作：Margot Lee Shetterly

キャスト：Taraji P. Henson, Octavia Spencer, Janelle Monáe, Kevin Costner

『しあわせの隠れ場所／The Blind Side』

公開年：2010

監督：John Lee Hancock

脚本：John Lee Hancock, Michael Lewis

キャスト：Quinton Aaron, Sandra Bullock, Tim McGraw

『ドゥ・ザ・ライト・シング／Do the Right Thing』

公開年：1990

監督：Spike Lee

脚本：Spike Lee

キャスト：Danny Aiello, Ossie Davis, Ruby Dee,
Richard Edson, Giancarlo Esposito, Spike Lee,
Bill Nunn, John Turturro

『ブラック・パンサー／Black Panther』

公開年：2018

監督：Ryan Coogler

脚本：Ryan Coogler, Joe Robert Cole

原作：Stan Lee, Jack Kirby

キャスト：Chadwick Boseman, Michael B. Jordan,
Lupita Nyong'o, Danai Gurira, Martin Freeman,
Angela Bassett, Forest Whitaker

『黒い司法 0%からの奇跡／Just Mercy』

公開年：2020

監督：Destin Daniel Cretton

脚本：Destin Daniel Cretton, Andrew Lanham

原作：Bryan Stevenson

キャスト：Michael B. Jordan, Jamie Foxx, Brie Larson

『コーチ・カーター／Coach Carter』

公開年：2005

監督：Thomas Carter

脚本：Mark Schwahn, John Gatins

キャスト：Samuel L. Jackson, Rick Gonzalez, Robert Ri'chard

第3章

リモート時代の英語術

「悪魔の英語術」の習得にはアウトプットも欠かせません。近年、新型コロナウイルスの影響でテレワークや、リモート会議が普及しました。対面での会話と違って、オンライン上の会話では様々なトラブルが起こりがちです。この章ではリモート会議などで使えるフレーズを学びましょう。

ヤマト：映画は本当に良い教材になりますね。いろいろ参考になりました。まだまだ観ておきたい映画がいっぱいです。

Lily：またおすすめの作品を紹介するわね。

ヤマト：映画は、アメリカ人の考え方をじっくり観察することができるので、Lilyさんがおっしゃる「悪魔の英語術」としてアメリカ文化を学ぶのにとても役立ちます。同時に発音や会話の勉強にもなりますしね。

Lily：アメリカ人はリアクションが大きいでしょ？映画から、表情やジェスチャーで表現することも学べる。

ヤマト：そうですね。たとえば、I guessというときに少し首を傾けてすくめる。このフレーズにはこういうジェスチャー、というのが口調や表情とともにインプットされるので、英語の文字面以外の情報量が多いですね。

Lily：そうなの。口元をしっかり見ながら、発話される音の特徴やリズムに注意して、繰り返し聴くと発音の参考になるわ。好きな俳優さんがいれば、なりきってまねすると本当にいい勉強になる。

ヤマト：映画はもともと大好きですから、映画での学習は苦にならずに、むしろ楽しめます。おかげで、「悪魔の英語術」、つまりアメリカ人のマインドを知って、英語表現のヒントにするってことが、だんだんわかってきました。今まで、単に楽しみで観ていただけでしたが、ちゃんと言動の根本にあるマインドにフォーカスして観ると、興味深く学べることがたくさんありますね。

Lily：映画を観て吸収するのはインプット。その次は実践、アウトプットね。

ヤマト：そうなんです。僕の場合、それをこれからどう仕事に生かすかが重要です。英語の必要性としては、何だかこのところ、海外支社とのオンライン会議が以前にもまして多くなってきている気がしますしね。

Lily：私もそう思う。コロナの感染拡大で感染予防の意識が高まると、世界的に働き方がすっかり変わったわよね。物理的に海外へ渡航することへの懸念が強くなり、ハードルがうんと上がった。たび重なるロックダウンを経験したりして、行動も自然と制限されるようになったわね。結果として取り入れたリモートワークやオンライン会議などがすっかり定着したものね。

ヤマト：時差の問題はあっても、海外の支社や取引先とオンラインで瞬時につながることが当たり前になって、皮肉にもむしろ世界が近くなった気がします。

Lily：そうね。今後パンデミックが収束した後も、リモートという形態の利便性に慣らされてしまった私たちは、リモートによるオンラインコミュニケーションが主流となる世界で生活し、学び、仕事をし続けることになっていくと思うな。

ヤマト：つまり、コミュニケーションツールとして英語力が、これまで以上に求められるってことですね。

Lily：通常のコミュニケーションマナーに加え、リモート会議などでの会話術やマナーも含めて、英語力の必要性は高まるでしょうね。

ヤマト：そこにも「悪魔の英語術」が生かされますかね。

Lily：もちろんよ。悪魔的な考え方というのは、基本的に合理性を重視してる。リモート会議などでは、限られた時間で効率よく的確にコミュニケーションをすることが求められるでしょ。だから、むしろそういう場面に向いていると思う。

ヤマト：なるほど。今度の海外支社とのオンライン会議ですが、実は僕がホスト、つまり進行役を務めることになっちゃったんです。

Lily：あら、それは英語コミュニケーションの実践のいい機会ね。

ヤマト：英語のコミュニケーションにおいては、「効率よく的確に」が大切と言っていましたが、それって、オンライン会議では具体的にどのような点でしょうか？

Lily：そうね、重要な点は基本的にはメールの要領と同じ。社交辞令とか、謙遜の言葉とか、そういう無駄を省いて簡潔明瞭にすること、きちんと発言者の話を聴くこと、わからないことはクリアになるように尋ねて、自分の意見を述べる。そんな感じかな。

ヤマト：ちょっと待ってください。メモりますので。……えっと、まとめるとこんなところでしょうか？

1）挨拶や社交辞令は必要最小限に

2）謙遜や遠慮は不要

3）人の話は「聴く」に徹する

4）わからないのにわかったふりをしない

5）自分の意見をきちんと述べる

Lily：Perfect！

ヤマト：なるほど、1）や2）は、本当に前に、メールの件でLilyさんに指摘されたことですね。オンライン会議でも同じってことですね。

挨拶や社交辞令は必要最小限に

Lily：リハーサルしてみる？

ヤマト：はい、やってみます。会議の始まりからいきますね。えーっと、あれ？「お疲れ様です」は英語でなんと言うんでしたっけ？

Lily：え、それ要るの？

ヤマト：日本人の社内コミュニケーションには欠かせない言葉ですよ。僕たち日本人にとって「お疲れ様です」は、クセみたいに沁みついていて、感覚的に外せないフレーズです。言わないと次の言葉が出てこない、と言っても過言じゃないくらいですよ。

Lily：確かに日本の仕事場では、電話でもメールでも対面でも、まず初めに「お疲れ様です」と言うわね。よく英語だとどうなるのか尋ねられるんだけど、そういう感覚がないからうまく訳せないの。"Hello"しか思いつかない。要するに、コレ、英語では要らないのよ。

ヤマト：なるほど。じゃあ、Helloで始めます。

Hello, everyone. How are you all today?
I'm Yamato from Tokyo branch.

Thank you for joining this meeting when you are busy.

Lily：ちょっと待った。When you are busyは要らないでしょ。

ヤマト：え、お忙しいところお集まりいただき……って言いたいんですが。

Lily：ビジネスなのよ。忙しくても双方の共通目的のためにスケジュールされた会議なら出て当たり前じゃない？

ヤマト：おっと、そういう考え方なんですね。悪魔的な……。でもまあ、そう言われれば確かにそうですね。

Lily：社交辞令を省くと悪魔的に思われちゃうのね。

ヤマト：慣れていないだけなんでしょうね。社交辞令と同様に、寒暖や天候のことなんかの話題をちょこっと挟みたくなりますが、それも省いたほうがいいんでしょうかね。

Lily：要らない。Time is Money、時は金なりよ。良かれと思って時節の話題などで和ませようとしたり、相手の近況を尋ねたり、お世辞を言ったりするのは、日本人のビジネスでは必要かもしれないけど、アメリカ人には特に必須のコミュニケーション要素ではない。もちろん、ケース・バイ・ケースではあるけど、最初の挨拶は、究極的には、Helloのひと言で十分だと思う。挨拶に気を遣うより、ミーティングの中身に気を配るほうがよっぽど大事だと思わない？

ヤマト：きついな。まあ、でもその通りですね。挨拶や社交辞令は必要最小限に、と心がけます。Helloのひと言だけと割り切ってしまえるのは、ある意味シンプルでいいです。でも、How're you doing? くらいは言いますよね？

Lily：あってももちろん悪くはないけど、特に必要はないかな。

ヤマト：なんか、そっけない気がするけど、そういうものなのですね。

Lily：そこに感覚的に慣れるのも「悪魔の英語術」の1つよ。相手が尋ねてきたら、Good. Thank you. 程度に流してOK。

ヤマト：もし、他に何か尋ねられたときは？

Lily：相手が何か尋ねてきたら、それはもちろんきちんと答えるべきだけど、特に何か必要性がない限り、わざわざそこから話を膨らませることはしなくてもいい。自分と相手以外に、他に参加者がいるときは、特にね。

ヤマト：日本人は、何か話さなきゃと思いがちですけど、アメリカ人はビジネスなどの会議のときは、意外とクールなんですね。

Lily：そう。よけいな話を長々とすることは、自分だけでなく、相手や関係ない周囲の人の貴重な時間を奪ってしまう。プライベートやら、趣味の世界でのコミュニケーションなら必要かもしれないけれど、ビジネスにおいては、常にそう考えて時間をできるだけ有効に使える人がいわゆる「できる人」って考え方がある。

ヤマト：肝に銘じておきます。無駄なことは言わない、ですね。

Lily：コミュニケーションがあったほうがよい場合もあるだろうし、神経質に「絶対仕事のこと以外話さないぞ」なんて思う必要はない。それに、たとえば開始時間に人が揃っていなかったり、接続の調整などで待ち時間があるときなんかは、逆に、時節の話題、相手や家族のこと、時事の話題など、話し上手であるほうがいいわよね。

ヤマト：臨機応変ですね。

謙遜や遠慮は不要

Lily：前にも話したことだけど、自分を低くする謙遜や、それで相手を上げる謙譲の考え方は、英語の世界には存在しない。社交辞令と合わせて、オンライン会議などで謙遜すると、おかしな空気になったりするから、覚えておいてね。

ヤマト：自分や身内、自社のことを下げる発言はNGなんですよね。

Lily：そう。下げてばかりだと「この人、メンタル大丈夫かな？」と思われかねない。

ヤマト：自己肯定感が低いと思われるってことですね。

Lily：自己肯定感が高ければいいってものじゃないとは思うけど、特にビジネスにおいては、わざわざ下げてアピールする必要はないわよね。ふだん、日本人相手に話しているときと同じような感覚で、同じように英語で謙遜してしまうと、信頼を失いかねない。

ヤマト：つい癖を出さないよう、悪魔の英語術で訓練します。

Lily：そうね。

ヤマト：相手を褒めたりするのもいいんでしょうかね。たとえば、ものすごくかっこいい洋服を着ている人に、「それ素敵ですね」って言いたいときとか。

Lily：お世辞じゃなく、すごい、すばらしいと思ったら、そこは別に我慢せず、褒めたり、称賛したりしてもいいと思う。これは、待ち時間とかに限らずね。

ヤマト：ただし、しつこくならないよう気を付けるってことですね。

Lily：ええ、そうね。

人の話は「聴く」に徹する

ヤマト：ここまではメールのときに教えてもらったことと共通するのですが、「人の話は『聴く』に徹する」というのは、どういうことでしょう。

Lily：アメリカ人は社交的でおしゃべりなイメージがあるでしょ？

ヤマト：ええ、間違いなく。

Lily：でもね、意外と「じっと聴く」という姿勢をもっているのよ。

ヤマト：え、それは本当に意外ですね。そういう印象はなかったです。

Lily：もちろん人によりけりだけど、注意して観察してみて。人が話しているときは、意外とじっと耳を傾けているわよ。

ヤマト：あ、そういえばこの間、ニューヨーク支社の人と電話で話していて、相槌（あいづち）も打たずに黙っているので、「え、聴いてる？」って思ったんです。あれですね？

Lily：そうよ。

ヤマト：ということは、相手もこちらに「じっと聴く」という姿勢を求めるわけですね。

Lily：求めるというか、効率的に議論を進めたい場合、自然とそうなると思うの。

ヤマト：遮っちゃうとだめなんですね。でもテレビの討論とかでは、アメリカ人同士なんかでもお互いかぶせ気味に議論していませんかね。

Lily：それはディベートとかのときかな。相手を言い負かさないといけないときじゃないかしら。

ヤマト：ああ、そうかもしれませんね。

Lily：会議は生産的な結果を生むための議論であって、相手を打ち負かすものじゃない。会議などでは、話すときは話す。聴くときは聴く。きちんとお互いが役割を交代して徹底するの。そのほうが効率的でしょ？

ヤマト：自分の発言の番になるまでじっと黙って、集中して相手の話を聴くってことですね。

Lily：そう。そしてその間に、自分の考えを巡らせ、しっかり意見をまとめる。

ヤマト：意見か。次のハードルはそこだな。慣れるまではお互い沈黙になりそうです。

わからないのにわかったふりをしない

Lily：沈黙になるというのはどういうこと？

ヤマト：何かわかんないことがあるかもしれないから。

Lily：わからないことがあれば質問すればいいじゃない。

ヤマト：何かを理解できていないなんて、ちょっと恥ずかしいじゃないですか。

Lily：じゃ、わからないままにしておくの？　わからないことを確認しないってことは、わからないのにわかったふりをするってことにならない？

ヤマト：そう言われればそうなるのかな。

Lily：わからないことをわからないまま放置するのは、自分のためにも相手のためにもならないわ。わかったふりなんて、相手に失礼よ。

ヤマト：そりゃそうなんですけど、自分がわからない状況をどう説明すればいいのか、そこまでの英語力がまだないわけで、やっぱ恥をかきたくない気持ちもあって……。

Lily：That's ridiculous！

ヤマト：え？

Lily：ridiculousは、バカバカしいってこと。非難してるんじゃないわよ。英語の試験を受けてるわけじゃないし、そんなふうに思う必要なんてないのよ。だって、相手はあなたの英語力を評価するために耳を傾けてるんじゃないのよ。あなたの意見が聞きたいの。

ヤマト：そう言われればそうですね。

Lily：ジェスチャーを交えてもいいし、図表を使うとかしながら、知っている範囲の単語でなんとかして伝わるように工夫すればいいのよ。

ヤマト：なるほど。1つ質問です。さっき、お互い相手の話を集中して聴き、遮らないようにと言ってましたよね。話を聴いている途中でわからないことがあったら、どうすべきですか？

Lily：わからないことは、できるだけ相手の話が終わってから質問するといい。

ヤマト：途中ではしない？　そのときに解決したいなあ。

Lily：相手の話を途中で遮ることは、極力避けるべきだけど、そのとき解決しないと、その先の検討がうまく進まない場合などはかまわないと思う。

ヤマト：話を遮ってしまう場合、どんな言葉で声を掛ければいいですか？

Lily：ヤマトならなんて言う？

ヤマト：そうですね。I am sorry, but may I ask a question? とかですかね。

Lily：That's good. それでいいと思う。「お話を遮って申し訳ありません」と、よりクリアに丁寧に言うなら、そこにinterrupt（遮る）という単語を加えるといいわ。I'm sorry to interrupt, but I have a question.

ヤマト：覚えておきます。

自分の意見をきちんと述べる

ヤマト：だけど、Lilyさん、意見を求められたりしますよね。

Lily：そうね。自分の意見を述べることは大切ね。

ヤマト：それ、やっぱり苦手なんですよね。

Lily：え、どうして？

ヤマト：だって、的外れなこと言っちゃったら恥ずかしいし。

Lily：また！　意見というのは、その人独自の考えでしょ？　誰がどんな意見をもっていようと、その人の自由だし、恥ずかしいも何もないと思うけどな。何も言わずに黙っていると、能力がない人と思われかねないから、恥をかくよりそっちのほうがマイナスだと思う。

ヤマト：確かに。悪魔の英語術的にもそうですね。よし、そのマインドで行こう。相手はどんなふうに訊いてくるでしょうか？

Lily：Does anyone have anything to say about this? とか、
Any thoughts?
Any ideas?
Any opinions?

ヤマト：でもね、何か意見はないですか？　と問われて、本当に何も思うところがなかったらどうしよう。

Lily：話の内容が、「よかった」のか「イマイチだった」のか、どこがどのようによかったのか、なぜイマイチだと感じるのか、そういうことをひと言でいいから述べるといいと思う。

ヤマト：でも英語で、となると、うまく言う自信は、やっぱりまだないですね。

Lily：何度も言うけど、英語でうまく言えないなら、そこはジェスチャーを交えたりしてもいいのよ。一番大切なのは、あなたが意見をもっていることを相手に伝えること。英語が正しいかではなく、あなたの考えていることが伝わるかどうかよ。

ヤマト：表情、ジェスチャーを豊かに、ですね。映画での学習が生きますね。

Lily：そうね。

ヤマト：でも、自分の意見がネガティブなものだった場合はどうですか?

Lily：アメリカ人はけっこう率直なので、ネガティブでもポジティブでも他者の意見は受け取るし、褒め言葉もそのまま喜んで受け入れるわ。

ヤマト：でも、正直言いにくいですよ。

Lily：そうね、ネガティブな意見を言う場合は、まず何か1つでも良いことを先に述べてからにするといいわ。

ヤマト：良いことを言ってから、その後で悪いほうを言うってことですか?

Lily：そう。Good news first, and then, bad news.

ヤマト：それは、たとえばどんなふうに言うってことでしょうか?

Lily：こんな感じでどうかしら?

◆That is a good point, but it might be even better if ...

すごくいい指摘だと思う。でも、もし……ならもっといいんじゃないかな。

ヤマト：なるほど。ダイレクトにネガティブな指摘部分だけで伝えると、ムッとされるかもしれませんけど、そういう言い方なら柔らかくて感じがいいですね。

Lily：アメリカ人に謙遜は通じないけど、褒め言葉は響くってこと。

ヤマト：それなら気が楽になります。

オンラインでの実用コミュニケーション英語

ヤマト：オンラインでの会話って、日常の英会話では使わない特殊な表現をするじゃないですか。どんなふうに言っていいのかまったくわかりません。

Lily：基本的に普通の会話と同じだと思うけど、たとえば、どんなこと？

ヤマト：「画面が固まってしまいました」とか、「資料を共有します」とか、そういうオンライン特有の表現とか用語とかって、あるでしょう？それが難しいんですよね。そもそも、ZoomとかSkypeとかFace Timeとか、そういうオンライン会議のアプリ自体、なんと表現するんですか？ applicationじゃピンとこないし。

Lily：アプリは、会話などではappと省略されて使われたりする。でもオンライン会議のアプリなら、platformと言うとわかりやすいわね。

ヤマト：なるほど。「何を使って会議をしますか？」は、What platform are we using? でいいんでしょうか？ 前置詞は何を使いますか？ インターネットで、というのは、確か、inを使いますよね。

Lily：ええ。In the internet. でもオンライン会議アプリならOnかな？　On Zoomとか、On Skype。

ヤマト：そうか、オンラインっていうくらいですものね。

Lily：でも、文脈によるからそれほど神経質に考えなくていいと思うわ。

ヤマト：文脈か……。それが難しい。

Lily：たとえば、See you at the meeting. という文脈なら、それがZoomミーティングなら、See you at the Zoom Meeting. となるだけよ。Let's discuss it in the Zoom meeting. とかね。

ヤマト：なるほど。

Lily：じゃあ、オンライン会議で使いそうなフレーズを勉強しましょうか。電話なんかと基本的に同じよ。

ヤマト：よく相手の声が聞こえないときはなんと言うといいですか？　I can't listen to you. とかでいいですか？

Lily：listen toは漢字で書くなら「聴く」のほうよ。レクチャーとか音楽とか、耳を傾けて聴く。耳をすませるような表現ね。

ヤマト：あ、hearのほうを使うんですね。

Lily：そう。「聞く」のほうね。Sorry, I can't hear you. でいいわ。もう少しこなれた言い方なら、

「少し聞きづらいのですが……」という意味で、I'm having trouble hearing you.とか、I'm having a hard time hearing you.を使ってみるといい。そして、Could you speak a little louder? などと続けると完璧ね。

ヤマト：「もう少し大きな声で話してください」ってことですね。「もう少しマイクに近づいて話してください」っていうのはどうでしょう？ Please speak near the mic?

Lily：それでも十分通じるわ。nearよりcloseを使うとよりいい。Would you mind speaking closer to the microphone? とか。

ヤマト：nearとcloseはどう違うのですか？　どちらも距離ですよね。

Lily：そうね。でもcloseのほうがより接近している感じがする。closeは親近感を表すこともある。仲がいいという意味でも使われる。nearにはそれはないかな。

ヤマト：難しいけど、なんとなくわかりました。聞こえにくくて、「もう一度言ってください」と言うのは、Please say again. で良いですよね。

Lily：いいわよ。アメリカ英語では、Could you say that again? というのが自然ね。あと聞こえにくい状況はどんなのがある？

ヤマト：マイクがオフになっていて、オンにしてほしい場合がありますね。I think your mic is off. Could you turn on your mic? でいいですか？

Lily：Fine. あと、muteとunmuteという言葉も普通に使うわね。

ヤマト：それ、意外と混乱するんです。muteが話せない状態で、unmuteが話せる状態ですよね。

Lily：そう。muteは音を「消す」という意味の動詞なの。でも「口をきけない人」という意味もあるから、ちょっと繊細な単語なのよね。

ヤマト：どういうふうに使いますか？

Lily：You are on mute. Could you unmute yourself? とかね。mute yourself/unmute yourself はよく使う表現よ。You are on mute. の部分はYou are muted. と受動態を使うこともできるわ。

ヤマト：なるほど。「mute＝無音」というイメージで覚えます。画像についてはどうでしょう？「カメラをオンにする」は、“Turn on the camera”を使って、Could you turn on your camera? というような表現でいいでしょうか？

Lily：いいわね。

ヤマト：I can’t see you. と言っちゃっていいですか。

Lily：OKよ。Your screen is blank. とかでもいい。

ヤマト：そうか、画面はscreenなんですね。「カメラはオンになっていますか?」はIs your camera on? でいいですよね。

Lily：いいわね。もう一段上の表現なら、Have you enabled the camera? とかも使ってみて。enableは使えるようにするという意味だからマイクにも使えるわ。

ヤマト：かっこいい表現ですね。画面が固まるっていうのは「フリーズする」って言いますが、これは和製英語ですかね？

Lily：英語でもfreezeは同じ意味で使うわよ。I think my PC is frozen. と受動態にしたり、The screen keeps freezing. というような表現ね。あと、クラッシュするって日本語でも言うかしら？ My laptop has crashed. という表現もする。

ヤマト：「画面共有」はどうでしょう？

Lily：共有はshare（シェアする）を使うといい。

ヤマト：Now I'm sharing the screen. とかLet me share my screen. でどうですか?

Lily：Very good.

ヤマト：オンライン会議の英語って、難しく考えていたけど、確かに普通の英語とあまり変わらないですね。

Lily：そう、共有はshareを使うとか、いくつか表現を新しいボキャブラリーとしてインプットしておけば、それほど難しくないはずよ。

ヤマト：ありがとうございます！ わかる範囲のフレーズや言葉で英語表現するという練習をするいい機会ですね。

オンライン会議のフレーズまとめ

◆よく聞こえません。

Sorry, I can't hear you very well.

I'm having trouble hearing you.

I'm having a hard time hearing you.

◆もう少し大きな声で話してください。

Could you speak a little louder?

◆もう少しマイクに近づいて話してください。

Would you mind speaking closer to the microphone?

◆もう一度言ってください。

Could you say that again?

◆マイクがオフになっていると思います。

I think your mic is off.

Could you turn on the mic?

◆カメラをオンにしてもらえますか？

Could you turn on your camera?

◆映っていません（見えません）。

The screen is blank.

I can't see you.

◆カメラはオンになっていますか?

Is the camera on?

Have you enabled the camera?

◆固まってしまいました。

I think My PC is frozen.

My laptop has crashed.

The screen keeps freezing.

◆画面を共有します。

Now I'm sharing the screen.

Let me share my screen.

第4章

言語は生き物。柔軟に付き合おう

時代とともに人間の価値観が変化するように、英語もまた常に変化しています。本章では、新型コロナウイルスで広まった英単語や、性自認の多様化による人称代名詞の用法の変化などを学び、「悪魔の英語術」の根底にあるアメリカ人のマインドの理解をアップデートしましょう。

近年の英語事情

COVID-19時代の新英語

ヤマト：しかし英語学習って、キリがない。どんどん学ぶべきことが出てきて。気が遠くなりますね。

Lily：英語だけじゃなく、新しい言語を勉強するって、エンドレスよね。そこが醍醐味（だいごみ）よ。しかも言語は生き物だから、どんどん変化する。

ヤマト：へえ、そうなんですか。

Lily：日本語だってそうでしょ？　毎年、新語や流行語が出てくるわけだし。英語も同じで、その時代に起こったことを反映して、新しい表現が生まれたり、あまり使われなかった言葉がふとしたきっかけで急激に使われ始めたり、なんてことがしょっちゅう起こる。

ヤマト：最近では、英語にどんな変化がありましたか？

Lily：ここ数年では、なんと言っても、新型コロナウイルス感染症に関する英語ね。

ヤマト：あ、COVID-19ですね。これ、何の略でしたっけ？

Lily：COrona VIrus Disease in 2019。まったく新しい造語だけど、今や誰もが知ってるわね。

英語のネットニュースや新聞の見出しなどでは、quarantine（隔離）やlock down（封鎖）、social distance（社会的距離）などという単語や表現も頻繁に目にするから、すっかりお馴染みになったと思う。

ヤマト：そうですよね。僕もquarantineなんて単語、まったく知らなかったですが、今じゃ普通に使うレベルの英単語になってしまいました。

Lily：よく耳に入るものね。

ヤマト：ワクチンが英語の発音だとヴァクシーンになるんだってことも知りました。最初は「ヴァクシーンって何だ?」って思いましたけどね。今じゃ、「ワクチン接種」はvaccinationと言うだとか、「ワクチン接種を済ませた」という表現には動詞形を受動態で使ってI have been vaccinated.などと言えるんだってことも、すっかり馴染んじゃいました。

Lily：COVID-19は、日常会話にも影響を及ぼしたと思わない？　日常会話の言葉のチョイスがずいぶん変化したわ。

ヤマト：僕もそう思います。手紙やメールの結びの決まり文句とか、別れ際の挨拶といえば、定番はTake care!（元気でね）が多かったと思いますが、一時はやたらStay safe.（安全でいてね）というフレーズにとって代わっていましたよね。

Lily：そうなの。メールの書き出しで、“I hope this email finds you well.”というでしょ？

ヤマト：「ご健勝のことと存じます」っていうフレーズですね。

Lily：これも、I hope this email finds you safe. とか、I hope this email finds you healthy. などと表現する人が増えたわ。これもパンデミックが収束すれば、またもとに戻るんだろうけれど。

ヤマト：まさにその時代というか、状況を反映して言葉は変化していくってことですね。

Lily：そう、日本人はまじめだから、学校で教わって覚えた英語表現をかたくなに守って使おうとするけれど、自然な英語を話すためには、こういう変化を柔軟に受け入れる姿勢があったほうがいいの。

ヤマト：どういうことですか？

Lily：この単語の意味はこうだという、いわばA＝Bという数式みたいに単語やフレーズを覚えても、言語は生き物だからその変化や成長にはうまくついていけないと思うの。

ヤマト：「お元気ですか」はHow are you? だと学校

で習いましたが、確かに、「お元気ですか」＝How are you? とは必ずしも言い切れないってことですね。

Lily：そう。“How are you doing?” “How is it going?” “How is everything?” “What's up?”……色んな言い方があるわ。基本としての表現はもちろん知っていていいけれど、時代によって変化する表現を受け入れる柔軟性や、それに気づく力があるといいわね。

ポリティカル・コレクトネス

ヤマト：コロナ関連以外でも、近年何か大きな動きはありますか？

Lily：そうね。ここ数年では、やはりBLM（Black Lives Matter）かな。人種差別を扱う映画の話題でも話したけれど、BLMはもはや誰もが知ってる単語になったわよね。

ヤマト：それまでは存在していなかったのですか。

Lily：いいえ、Black Lives Matterというフレーズは、10年ほど前にFacebookのハッシュタグとして使われ、拡散されたのが始まりなの。だからアメリカの黒人差別反対運動の中では知られたフレーズだったのよ。

ヤマト：それはどういったきっかけで使われたのでし

ょうか？

Lily：2012年に17歳の黒人少年が白人の自警団員に射殺される事件が起きたのだけれど、射殺犯が無罪となったことからSNS上で抗議運動が広がり、その中で、#BlackLivesMatterというハッシュタグが広まったのよ。それ以降も、主にアメリカ国内でアフリカ系の人がヘイトクライムの犠牲になるたびに、スローガンのように叫ばれてきたの。でも、BLMと頭文字をとって、世界的に皆が叫ぶようになったのは、2020年のジョージ・フロイド事件からね。あの事件がきっかけで広まったいわゆる「BLM運動」で、今じゃ日本人にも知られる表現になったわね。

ヤマト：長年積み重なった怒りが爆発した結果なんですね。

Lily：そうね。そして、BLM問題に関連して、ごく最近、単語の表記の仕方に変化があったものもある。

ヤマト：何ですか？

Lily：黒人を意味するblackという単語。

ヤマト：blackという表現は好ましくなくて、アメリカでは、黒人を表す英語として、African American（アフリカ系アメリカ人）、という表現がスタンダードになっているのではなかったですか？

Lily：その通りよ。近年の英語表現にはpolitical correctnessという、いわゆる特定の差別用語を許さない社会的な動きがあるの。これはあくまでも政治的な動きだから、正しいかどうかは別で、個々の主義主張によるものだと思うんだけど、無用のトラブルに巻き込まれないためにも、知っておいたほうがいい。

ヤマト：ポリコレって言葉で、日本でも聞いたことあります。

Lily：ポリコレか、なるほどそう略すのね。英語では、正しいとされる呼び方をpolitically correct、正しくないとされるものをpolitically incorrectと呼んで、避けようとする動きがあるの。たとえば、体に障害のある人は、handicapped（ハンデのある）やdisabled（不自由な）という表現を使わずに、physically challengedと呼ぼうとする。

ヤマト：身体的にチャレンジされている人……ですか？なるほど。昔、「インディアン」と言われていたアメリカの先住民をNative Americanと呼ぶようになったのも同様の経緯ですね？

Lily：そう。ところが、黒人に関しては、BLM、Black Lives Matterの運動から、Blackという表現に誇りをもとうという、ちょっと逆流的な動きも黒人の側から出てきたの。

ヤマト：逆流的とはどういうことですか？

Lily：黒人を差別することをやめよう、そして黒人を他の人種と同等に扱おうという動きは、いわば差別する垣根を取り払おうとするブレンド思考よね。

ヤマト：ええ、平等にするんですからね。

Lily：でもね、逆流的な動きというのは、平等の根本的な考え方の部分に問題提起をしていて、黒人は黒人のままでいい。黒人であることに誇りをもとうという考え方を主流としているの。blackという単語を、単に「黒い」という色調を表す形容詞としてではなく、「その肌の色に誇りをもっている人々」という、固有のアイデンティティをもったエスニックグループとしての意味で使おうと、Blackと頭のBを大文字で表記する動きが出てきたの。

ヤマト：じゃあ、今ではBlackと表現するのはむしろ歓迎されるのですね？

Lily：大文字で表記するBlackは、今のところ一部の動きなので、まだ一般的に広まっているとは言えないの。やはり呼び方としては、African Americanを使うことをすすめるわ。

どういった表記が正しくて、どれが正しくないかは、コミュニケーションを取っている相手とどのような共通認識があるかにもよるわ。共通のルールがなかったら、相手を尊重するつもりで発した言葉が、逆に傷つけてしまうこともあるもの。

ヤマト：かなり難しいですね。

Lily：ただ、誇りをもつという意図でBを大文字表記しBlackとする動きが、アメリカで巻き起こっているという事実は知っておいたほうがいい。ジャーナリズムの世界はもとより、ブログやSNSなどでも、この書き方をBLM以降よく見かけるようになったわ。

ヤマト：なるほど。では、白人に対するwhiteという単語も、Wを大文字にするんですか？

Lily：それはない。

ヤマト：え、なぜ？

Lily：少しセンシティブな問題で、日本人には理解しづらいと思うけど、白人はこれまで黒人を支配する側だったでしょ？　だから、そこを大文字にしちゃうと、どうしても、white supremacy（白人至上主義）の思想に映ってしまうのよね。

ヤマト：なるほど。人種に関する表現は、本当に繊細ですね。

Lily：そう。知らなかったじゃすまされない事態を引き起こす可能性もあるわ。

ヤマト：そういった意識をもっているのといないのとでは、大違いですね。

Lily：そうよ。男女差別にまつわる表現の問題もある。男女を区別する単語を廃止しようとする動きよ。

ヤマト：旅客機のキャビンアテンダント、いわゆるCAなどという呼び方ですね。

Lily：そう。CAは、もともとスチュワーデスと呼ばれてたんだけど、stewardessが女性を表す単語だったことから、好ましくないとして代わりに採用された用語ね。そもそも客室乗務員の仕事は、stewardという執事や給仕という意味の単語で表したのだけど、女性がこの仕事をする場合には、女性を表す語尾essをつけてstewardessと言ったの。

ヤマト：waiterとwaitressとかもそうですか？

Lily：そうね。今アメリカでは、ウエイトレスという言葉は死語ね。男女ともに、一般的にはserverと呼ばれているわ。

ヤマト：日本の「看護婦」という言葉と同じですね。今では男女とも「看護師」ですものね。

Lily：その通り。語尾にmanが付く単語も、性別的にニュートラルなpersonに置き換えるようになったわ。たとえば、chairman（委員長）はchairpersonに、mailman（郵便配達員）はmailpersonと言ったり。

ヤマト：じゃあ、スーパーマンはスーパーパーソン？

Lily：そういうジョーク、一時いっぱいあったわ。マンホールをパーソンホールと呼ぼうとか……。

ヤマト：そういうところだけは、考えることが一緒か。ふざけてすみません。単にmanをpersonに変えればいいってことじゃないですもんね。

Lily：いいのよ。ユーモアは必要。でもまあ簡単に言うと、たとえば、郵便配達員の女性をmailmanと呼ぶのはおかしいでしょ？　ってことよ。女性の社会進出によって、男女の職業的な境界線がなくなってきたという背景があるということ。

新しい人称代名詞

ヤマト：冗談はさておき、他にも何か大きな変化はありますか？

Lily：そうね、ちょっとこの文章を読んでみて。
The applicant is expected to submit their

resume within two weeks.
何か気づくことはある？　間違い探しをしてみて。

ヤマト：あ、人称代名詞がおかしい気がする。コレ、間違えているな。The applicantって、主語は単数なのに、後に出てくる代名詞がtheirと複数になってる。

Lily：きっと日本人が中学や高校で学んできた文法と照らし合わせると、少しおかしいわよね？ ヤマトならどう表現する？

ヤマト：知ってますよ。Theirの部分は、his/herって書くんですよね。だって、このapplicantは男か女かわかんないし、どっちの可能性もあるわけだから。

Lily：どっちの可能性もある。でも今や、それだけじゃなくなっているの。

ヤマト：あ、LGBTQの話ですね。えっと、そもそもLGBTQって、何の略でしたっけ？

Lily：Lesbian、Gay、Bisexual、TransgenderそしてQは、QuestioningもしくはQueer、レズビアン、ゲイはそれぞれ女性・男性の同性愛者、バイセクシャルは両性愛者、トランスジェンダーは性転換者、そしてクエスチョニングやクイアは、LGBTのどれにも当てはまらない性的マイノリティの人のことよ。

ヤマト：なるほど、そういえば最近、有名なシンガーがpansexualだと公言しましたが、pansexualってどういう意味でしょう？

Lily：形容詞の前にpanを付けると、全〇〇、総〇〇という意味が加わるの。COVID-19が全世界に広がった状況を称したpandemicという単語も、このpanと「人口」を意味するdemicとの組み合わせで、「全人口規模で広まった」という意味よ。

ヤマト：なるほど。じゃあ、つまりpansexualは、ストレートもLGBTQも、すべて対象に受け入れるという意味ですね。

Lily：その通り。nonbinaryという単語も最近よく使われる。binary（バイナリー）は、そもそも「二元の、二成分の」といった意味で、つまり、人間に当てはめると、男か女かの2種類しかないという意味なのだけど、それに対し、nonbinaryは、「二元でない」、つまり「男とか女とかの枠に入らない」という意味の新語ね。

ヤマト：だから、人称代名詞はheでもない、sheでもない。he/sheのような表現は使わない動きになってきてるわけですね。ということは、

LGBTQの人には、they、their、themを使うべきだと覚えておけばよいですね。

Lily：うーん、まあそうなんだけど、厳密にはそうじゃないの。

ヤマト：え、どういうことです？

Lily：単純に男性がhe/his/him、女性がshe/her/her、LGBTQがthey/their/themなら「三元」よね。さっき説明したnonbinaryは、そういう意味じゃない。男性はこう、女性はこうという違いを取り除いて、皆同じでいいでしょ？　という趣旨よ。そういう意味で使う選択肢がthey/their/themなのよ。

ヤマト：なるほど。じゃあ、質問ですが、主語にtheyを使ったときは、動詞は複数形を使うのですか？

Lily：いい質問ね。答えはわからないの。

ヤマト：え？

Lily：こういった動きは生まれたばかり。今から成長する。だから今現在は、まだ言葉の用法として成熟しきっていないと思うの。だから、誰も何が正しいかなんてわからないし、まあ、どちらでも受け入れられるのよ。Be動詞なんかは、つい慣れからareやwereを使っちゃうことが多いけれど、単数でももちろんOK。ただ、

「その人自身」と表現するとき、themselvesにはせずに、単数として“themself”とすることが多いわ。

ヤマト：ややこしいですね。

Lily：しかもね、LGBTQの人が使う人称代名詞は、they/their/themだけじゃなくて、実は色んな種類が新しくどんどん生まれているの。ae/aer/aer/aers/aerselfとか、xe/xyr/xem/xyrs/xemselfとか。

ヤマト：え？　なんですって？

Lily：他にもいくつも種類があるらしいわ。正直、全部覚えるのはなかなか難しいと思う。私でもわからないわ。ましてや、相手の好む代名詞に瞬時に合わせて、文中でその代名詞を使いこなすなんて、至難の業よね。

ヤマト：じゃあ、どうすべきですかね？

Lily：とにかく、3人称は、今やheやsheだけじゃないという事実を知っておくことが大事だと思うの。使えなくても、耳に入ってきたときにピンと来るか来ないかでは、大きな違いなのよ。文書などの一般的な表現では、基本的にthey/their/themを使うことを心がけるといい。そして、もし職場など身近にLGBTQの人がいて、その人が人称代名詞にこだわりがあるなら、それを尊重して、その人が使いたい代名詞を使うよう努力する。それが一番いいと思うわ。

ヤマト：そういうことって、尋ねてもいいものでしょうか？

Lily：親密度とか、ケース・バイ・ケースだろうから答えるのは難しいけど、尋ねてお互いがモヤモヤしないなら、そのほうがいいかもね。そういえば、最近、SNSなんかのプロフィールやメールの署名には、使いたい人称代名詞を明示する人も見かけるようになった。

ヤマト：明示するとは、どういうことですか？

Lily：特に決まりがあるわけじゃなく、シンプルに代名詞を列挙しているだけの人もいるわ。人称代名詞は、英語でpronounというのだけれど、たとえばこんな表記がある。

PP：she/her

ヤマト：PPって何ですか？

Lily：Preferred Pronoun。

ヤマト：「より好ましい代名詞」か。自分で呼んでほしい代名詞が何かを知らせるんですね。

Lily：そうよ。他にもたとえばこんなのもある。

Pronouns：they/their/them

PGP：He, Him

PGPは、Preferred Gender Pronoun、訳すと「好ましい性別代名詞」かな。相手を惑わさないための気配りね。そして、自分自身も不用意に傷ついたり、気分を害さなくて済む。

ヤマト：いいアイデアです。親切でお互い助かりますね。

Lily：そうね、こういったことは受け入れられる人と、そうでない人が必ず存在するから、ごく当たり前になるまでに時間がかかるけれど、実際にこういう流れがあることを知っておくといいわよ。

1つとてもいい詩を紹介するわ。ある73歳の女性が書いた“They”というタイトルの詩なの。自分の甥っ子さんのことを書いているんだけど、当事者の周囲の心情がよくわかるわ。

“They”
This person I know
Wants to be called a they.
It cold（could）bring us much closer
To see them that way.

私の知っているある人は
自分をtheyと呼んで欲しいそうだ
その通りにその人を見られるなら
お互いが近づけるはず

It's a strange thing to think
And harder to say,
But they is so happy
When the effort is made.

考えれば変なことだし
まして口にするのは難しい
でもthey本人は幸せらしい
その配慮がわかるから

For all the theys and thems
It is this that I pray,
We be kind and accepting
And just let them be they.

すべてのtheyさんたちのために
私はこの祈りをささげる
思いやりをもって受け入れよう
彼らがTheyでいられるよう
(Theo Lorenz氏がTwitterに掲載した詩、著者訳)

ヤマト：良い詩ですね。包み込むような優しさに溢れているけれど、その奥に戸惑いや葛藤が表れています。英語ネイティブではない僕たちには、どういう感覚で"they"という代名詞が使われるのかがよくわかります。

Lily：73歳の方には、甥っ子さんがゲイだという事実を受け入れるのは容易ではなかったのでしょうね。でも歩み寄ろうとしている。

ヤマト：そういうところ、theyという人称代名詞の使い方によく表れていますね。

Lily：思想信条は別として、こういうことは、これから国際社会へ出ようとするなら、知っておくべきことね。

ヤマト：国際人として身に付けておくべきことは、英語力だけではなく、こういった相手の社会の実情と、それに対応する力なんですね。

第5章

説得力と交渉力、そして Go your own way

本書ではアメリカ人のマインドとその根底にある文化を学んできました。この章ではまとめとして、「悪魔の英語術」の本領が発揮される「説得・交渉」の場面を取り上げます。ヤマトはうまくLilyさんを説得することができるでしょうか？

「悪魔の英語術」を実践しよう

ヤマト：昨日、友達と「悪魔の英語術」の話をしていたら、「それじゃ、ゴーイング・マイ・ウェイなやつだなって思われないか?」って訊かれたんです。

Lily：ゴーイング・マイ・ウェイなやつ？　おかしな英語ね。

ヤマト：「ゴーイング・マイ・ウェイ」って、和製英語ですか？

Lily：I'm going my way. と1人称で言うなら、「私は私の道を行く」だから普通の英語ね。だけど、あくまでもmyは「私の」という意味。だから、第三者について「ゴーイング・マイ・ウェイなやつ」と表現するのは、英語ネイティブにはちょっと違和感があるわね。第三者なら、3人称のgoing his wayとか、going her wayとかにならないと変な感じがする。

ヤマト：じゃあ、話している相手のことならgoing your wayですね。

Lily：そうね、「悪魔の英語術」を身に付けようとしている人には、Go your own way!（自分自身の道を進みなさい！）と言いたいところね。

ヤマト：なるほど。日本語は人称代名詞がなくても成り立つから、感覚が難しいですね。英語って勉強することが本当にたくさんあるな。

Lily：そうね。

ヤマト：ああ、できるなら僕もアメリカへ行って、実生活の中で英語を勉強したいな。でも、経済面の課題だけでなく、コロナ以来、実際に海外へ行くことが少々難しく感じますね。留学の機会を失った人も多かったでしょうね。

Lily：本当に気の毒ね。留学予定者の中には、日本からオンライン授業を受けることになった人も多かったと聞いたわ。

ヤマト：オンライン授業で学問は習得できても、現地で体験する社会生活や文化、人と人との交流から学べることには限界があります。

Lily：英語圏で実際に生活してみると、「悪魔の英語術」も日々の生活からどんどん吸収できるのにね。でも、日本にいても学べることはたくさんあると思うわ。

ヤマト：ええ、映画を観るとかですよね。映画は大好きだし、観るのは苦になりません。確かに学べることはたくさんあります。だけど、そういった形の学習は、どうしても受け身です。何か、能動的な学びも欲しいんですよね。

Lily：確かにそうね。映画を観たり、本を読んだり、また英会話の教材を聴いたりするのは、知識を取り込む一方向の受け身な学習と言えるわね。

ヤマト：ええ。それも大事ですが、せっかく取り込んだ知識を能動的に使うことができないともったいないと思うんです。

Lily：つまり頭の中に取り込むinputだけじゃなく、取り込んだ知識を自分の考えに乗せて外へ向けて発信する、outputの機会が欲しいってことね。

ヤマト：そうなんです。英語で文章を書いたり、人と会話したり、そういったoutputする力を鍛えなきゃいけないなと思います。「悪魔の英語術」をoutputとして実践するための訓練としては、どんなことをすればいいでしょうか。何か具体的に学ぶべき課題はないですか？

Lily：そうね、悪魔的なマインドをoutputに生かすなら、PersuasionとNegotiationはぜひ身に付けるべき論法だと思うわ。

Persuasion＝説得力

Lily：Persuasionは、persuade（説得する）という動詞の名詞形で、つまり「説得力」よ。そして

negotiate（交渉する）の名詞形Negotiationは「交渉力」。

ヤマト：あ、映画『レオン』を紹介してくれたときに、Lilyさん、主人公マチルダの交渉術の話をしていましたね。まだ少女なのにちゃんと交渉術を心得てるって。

Lily：そう。PersuasionとNegotiation、どちらも、自分の主張をはっきり表現する必要がある。遠慮していては成功しない論法よ。日本人は少し苦手かもしれない分野ね。

ヤマト：説得力と交渉力か……。アメリカ人は得意なんだって言ってましたよね。

Lily：得意というか、小さいころから慣らされているのよね。小学生くらいでも、PersuasionやNegotiationの話法を実習させる機会もあったりするからね。

ヤマト：たとえば、Persuasion、説得の話法って、具体的にはどんなことを教わるんですか？

Lily：子どもでもできるんだから、そんなに難しいことではないわ。要は、自分が考えていることを、相手によくわかってもらうように理由とともに説明するってこと。何かふだんの生活をしていて、「こうしてほしい」と思うようなことってあるじゃない？　たとえば、銀行が日曜日に営業していたらいいのにな、とか。

ヤマト：なるほど。あ、1つありますよ。僕、コンビニにトースターがあればいいのになあって思います。パンをその場で焼いて食べたいです。あと、好きなアイス、箱売りがないので作ってほしいな。

Lily：食べることばっかりね。でも、まさにそういうこと。自分がなぜそう思うのか、その理由を相手に説明して、導入や改良を検討してもらえるように説得するの。

ヤマト：そんなこと、アメリカでは小学校からやるんですか、すごいですね。

Lily：そうよ。ついこの間も、小学生の女の子が授業で書いたPersuasionの手紙が話題になっていたわ。ある子ども服メーカーへの要望が書かれた手紙だったんだけど、手紙を実際にその企業に送ったら、反応があったんだって。

ヤマト：へえ、いったいどんなことをpersuadeした手紙だったんですか？

Lily：そのメーカーが販売している女の子用のジーンズって、前ポケットがなかったんだって。ポケットがあるみたいには見えるんだけど、布同士が縫い付けてある単なるデザインで、要するにフェイクなの。この女の子はそれが不満で、「女の子用にも、本物のポケット付きのジーンズを作ってください」って説得する手紙を書いたらしいの。

ヤマト：どんなふうに説得したんですか？

Lily：それは小学生だもの、シンプルよ。「ポケットがあれば、手を入れられるし、何か物も入れられるので便利です！　だから女の子のズボンにも、フェイクじゃないポケットを付けてください」って。

ヤマト：かわいいですね。で、その子ども服メーカーはその女の子の説得に応じたのですか？

Lily：女児用ジーンズを本物の前ポケット付きに改良して商品化して、その女の子にたくさんプレゼントしたそうよ。

ヤマト：それはすばらしい。彼女は、自分の考えをきちんと述べて、相手をうまく説得すれば、要望が通るってことを学んだのですね。本当に企業へ送った先生もすごいけど、それに応えた企業も粋な対応ですね。

Lily：そうね。そのメーカーは、多分ポケットはなくて当たり前だと思っていたんでしょうね。だから、いい指摘をもらったと思ったはず。実際に商品を着用する消費者の声を聞けたんですもの。話題になっていい宣伝にもなるから、企業にとってもその子にとってもウィンウィンだった例ね。

ヤマト：自分の考えをきちんと形にして、臆せず説得を試みれば展開があるって身をもって学ぶわけですから、学習としては意義がありますね。小さいころからそういうことを何度も体感させられると、対人で物おじしなくなるというのもわかる気がします。

Lily：そうね。抵抗感が小さくなるでしょうね。

Negotiation＝交渉力

ヤマト：Negotiationはどうでしょう？　negotiateというのは、交渉するという意味でしたよね。

Lily：Persuationの動詞persuadeが説得するという意味で、自分の思いを伝えて相手の心を動かそうとするのに対し、Negotiationは、そこから一段上の手法で、駆け引きの要素が入るの。相手の提案や提示、回答をそのまま受け取らず、少しでも自分の有利な方向にもっていく。相手も納得して同意する方法が理想的ね。

ヤマト：ビジネスではわかりますが、子どももそんなことやるんですか？

Lily：条件を提示して自分の権利を主張するってこ

と、子どもはよくやるわ。

ヤマト：「お手伝いがんばるから、あれ買って」ってやつですかね。

Lily：そうよ。ビジネスでは日常的に行われてる。値引き交渉とかね。そういえば、私もつい最近、小さな男の子とビジネス系のNegotiationをしたわ。

ヤマト：ビジネス？　子どもとですか？

Lily：そう。支払いに関する交渉。

ヤマト：え？　どんな？

Lily：メジャーリーグ野球の試合を観に行ったときのことよ。観に行く予定だった試合が雨で中止になって、翌日の昼間に延期されたの。で、その延期された試合のチケットをもってると、当日の夜の試合も残って観ていいってことになったの。

ヤマト：つまりダブルヘッダーみたいな？　１枚のチケットで２試合観られたんですか？　それはラッキーですね。

Lily：ところがね、うっかり鞄に仕事用のビデオカメラを入れたままだったの。で、入口の持ち物検査で止められちゃって……。

ヤマト：ビデオカメラは持ち込み禁止なんですか？

Lily：そう。で、「入場するならロッカーに預けてこい」と言われちゃって、しかたなく一番近い個人経営のロッカーへ行ったわけ。そうしたらね、10歳くらいの小さなアフリカ系の男の子が店番をしてたのよ。私が店に入ると、得意げに料金の張り紙を指さして言ったの。「ロッカーは、10ドルですよ」って。

ヤマト：けっこういい料金ですね。

Lily：私、思わず「2試合で？」って訊いちゃった。すると、その子はハッとしてこう言い直したの。「あ、今日は2試合だから……えっと、20ドルです」って。

ヤマト：おお、しっかりしてますね。算数もできてる。

Lily：そう。根拠を述べて提示、というか吹っ掛けてきたわけ。

ヤマト：なかなかやりますね。で、Lilyさんは20ドル払ったんですか？

Lily：そこは私だって交渉するわよ。だってロッカーなんていくら使ったからって減るものでもないし。子どもだからって交渉に情けは禁物よ。

ヤマト：ほお、厳しいですね。で、どう交渉したんですか？

Lily：こういうふうに言ったの。「2試合とも観るかは今決めてないの。だから、今20ドル払って、もし1試合しか観なかったら、私損しちゃうじゃない」ってね。すると男の子は少し考えて、「でもね、今日は2試合ある日だから、ロッカー代は20ドルになっちゃうんです」ときた。

ヤマト：大人相手でも引き下がらないんですね。なかなかやりますね。で、どうなったんです？ 折れてあげた？

Lily：いいえ。交渉を持ち掛けたの。「じゃあこうしましょ。今10ドル払うわ。でも、もし2試合とも観たら、帰りにあと10ドル払う。それでどう？ フェアよね？」って。

ヤマト：そういうふうに提案して交渉するんですね。今のそれ、英語でなんと言ったのですか？

Lily：I pay 10 dollars now. And if I stay and watch both 2 games, I'll pay you another 10 when I get back. Deal?

ヤマト：Deal? って、よく聞く表現ですね。

Lily：正しくは、Is it a deal? よ。「どちらにとっても損はないですよね？ 取引成立ですね？」というときの決まり文句。まさに交渉で使う言葉。

ヤマト：あ、やはり映画『レオン』で、マチルダが交渉を持ちかけたとき、最後に言ってましたね。

“Is it a deal?” と。

Lily：そうね。まさにそういう使い方。

ヤマト：なるほど。で、2試合とも観たんですか？

Lily：いいえ、結局1試合だけ観て帰ることにしたの。で、ロッカーに戻ると男の子はちょっとがっかりしてたわ。「もう帰るの？　せっかく2試合観れるのに……」って。

ヤマト：彼はきっと、前払いだって言い通せばよかったって思ったでしょうね。もう10ドルもらい損ねたんですものね。Lilyさんの交渉勝ちですね。

Lily：まあね。でも、そもそも払うつもりだったから、「お手伝い偉いね。これは君にチップよ」って、もう10ドルあげておいたわ。

ヤマト：それはよかった。交渉頑張りましたものね。きっと次から彼は、もっと先読みして行動するようになるでしょうね。

Lily：そうね。

ヤマト：しかし、さすがアメリカの子どもは、初対面の大人相手でも堂々と交渉するんですね。

Lily：アメリカの子どもたちは、相手が大人だからといって物おじすることは、比較的少ないかもしれない。

ヤマト：映画なんかでも、子どもが大人相手に対等に話しているイメージがあります。学校の先生とかが相手でも。

Lily：学校の先生といえば、こんな話を聞いたわ。良い行いをした生徒にご褒美が与えられるのは、日本もアメリカも多分同じだと思うけど、あるアメリカの小学校で、ご褒美が「ランチタイムに校長先生のテーブルに座る権利」だったって話。

ヤマト：ゲッ！　校長先生と一緒にお昼ご飯？　それって、むしろ罰ゲームじゃないですか？

Lily：でも、その権利をゲットした子は大喜びだったそうよ。

ヤマト：ちょっとありえないですね。

Lily：やっぱり日本人にはそうなのかしら。でも、アメリカの子どもはそれをご褒美だと捉えるのよね。大喜びしたその子のお父さんは日本人なんだけど、彼も「子どもがなぜそれを喜ぶのかさっぱりわからなかった」って言ってたわ。

ヤマト：僕もさっぱりわかんないです。いったいどういう点がご褒美なんですかね？

Lily：校長先生に自分の話をじっくり聞いてもらえるチャンスだと捉えるの。ふだんからこうしてほしいとか、こうすべきだとか、持っている意見を直談判し、自分のアイデアを聞いてもらえるチャンスだと。

ヤマト：それはすごい。ふだんから鍛えている説得力と交渉力を、校長先生相手に発揮したいと思っているわけですね。

Lily：そう。アメリカの子どもは、自分をアピールすることには長(た)けていると思うわ。説得力と交渉力に自信がある……というか慣れているから、チャンスだと考えるわけね。

ヤマト：説得力と交渉力か。僕もぜひ身に付けたいです。もう少し詳しく教えてください。パターンとかあるのでしょうか?

説得力を磨く

Lily：説得力も交渉力もそうだけど、まずは前提として、相手の気持ちや心の動きを推察する力が必要ね。どうすれば相手の心をこちら側に動かせるか、どう言えば、相手は反論できないか、そういうことをしっかり考える。これは英語でも日本語でも同じよね。

ヤマト：そうですね。ビジネスでも必須のことです。

Lily：重要なのは話をもっていく順序よ。構成としては、やはり最初に自分が一番訴えたいことをまず述べる。そして次に、その理由を述べる。理由はいくつかあったほうが、説得力が強くなる。そしてできれば、If notの説得も加えるといい。

ヤマト：If not?

Lily：これは○○したほうがいい。なぜなら△△だから。しかも、If not、もしなかったら××だもの。という論理ね。

ヤマト：なるほど。そこからまとめる、ですね。

Lily：そう。具体例をちりばめるとより望ましいわ。練習してみようか。

ヤマト：え?

Lily：コンビニにトースター置いてほしいんでしょ。まずは、Persuasionの話法でそれをプレゼンしてみてよ。

ヤマト：って、急に言われても……。

Lily：整理するわね。この順番で言ってみて。

1）説得したい内容をまず提示する

2）その理由を述べる

3）具体例を挙げる

4）If notで説得する

5）補足する

6）ダメ押しする

ヤマト：なるほど。じゃあ、まずは日本語で整理します。

1）説得したい内容をまず提示する

コンビニにトースターがあるといいなと思います。

2）その理由を述べる

なぜなら、買ったパンをそこで焼いておいしい状態で食べられるから。

3）具体例を挙げる

たとえば、ワッフルとかパンケーキなんか絶対おいしくなるし、何ならホットドッグやサンドイッチもあっためるとおいしいです。

4）If notで説得する

もしなかったら、冷たいままですよね。あったかいほうがより魅力的な味になるものも。

5）補足する

レンジで温めるよりトースターで焼いたほうが絶対おいしいものもあります。

6）ダメ押しする

せっかくの商品をよりおいしく食べてもらったほうがよくないですか？　トースターは顧客にメリットがあります。

Lily：じゃあ、それを英語で。日本語に囚われなくていい。知っている英語の範囲でいいからね。

ヤマト：OK、行きますよ。

1）説得したい内容をまず提示する

コンビニにトースターがあるといいなと思います。

I would be very happy if convenience stores had toasters.

2）その理由を述べる

なぜなら、買ったパンをそこで焼いておいしい状態で食べられるから。

Because customers can toast the bread they buy it in the store.

3）具体例を挙げる

たとえば、ワッフルとかパンケーキなんか絶対おいしくなるし、何ならホットドッグやサンドイッチもあっためるとおいしいです。

I think waffles and pancakes will taste so much better when toasted. And hot dogs and some sandwiches, too.

4）If notで説得する

もしなかったら、冷たいままですよね。あったかいほうがより魅力的な味になるものも。

If not, we just have to eat them cold even though they will taste so much better when toasted.

5）補足する

レンジで温めるよりトースターで焼いたほうが

絶対おいしいものもあります。

I think bread tastes better when it's toasted than heated in a microwave.

6）ダメ押しする

せっかくの商品をよりおいしく食べてもらったほうがよくないですか？　トースターは顧客にメリットがあると思います。

Don't you think it is better if your customers enjoy the food more? I think a lot of customers will appreciate it.

Lily：Wonderful.

ヤマト：こんな感じでもいいんですか？

Lily：もちろんよ。細かな英語の出来栄えよりも構成順序が重要なの。

ヤマト：「主題を最初に述べる」という点ですね。

Lily：そう。この順序には、英語と日本語の根本的な違いが出ているわ。日本語は、動詞が最後になるでしょ？　結局最後にならないと「どうするのか」がわからない。

ヤマト：「いつ、どこで、誰が、誰と、何を、した」という日本語の順序ですね。英語だとまず「誰が、した、何を、誰と、どこで、いつ」みたいになりますものね。

Lily：そう。英語は、結論をまず提示したがる言語なのよね。そして、文の構成と同じく、スピーチの構成なんかも順序は同様なの。アメリカ人の脳は、結論となる主題、つまりテーマをまず欲しがる。テーマが一番で、そこに理由や補足を加えていく。そのほうが理解しやすい。というか、まずテーマが頭にくるという順序に思考回路が慣れているから、そうでないと理解しにくいと言ったほうが正解かも。

ヤマト：確かに、前置きが長いと話の焦点がぼやけるのかもしれないですね。

Lily：話している相手が、未知の話を理解するプロセスを想像してみて。たとえば、唐突に「コンビニのパンケーキが冷たいのは残念だと思う」と聞いたら、その人はその話のテーマをなんだと思うかしら？「パンケーキ専門店のパンケーキがいかにおいしいかって話かな？」とか、「コンビニでは、パンケーキを買うべきじゃないって意見かな？」とか思うかもしれないでしょ。

ヤマト：なるほど。

Lily：だけど、「僕は、コンビニにトースターを置いてほしいんです」というテーマをまず聞いて、その後で「コンビニのパンケーキが冷たいのは残念だと思う」と聞いたらどう？

ヤマト：トースターでパンケーキを焼くことを想像して、「確かにそのほうがおいしいだろうな……」ってなりますね。

Lily：会話のテーマが先にわかっていれば、あとから出てくる情報について、「どう対応すべきか……」、「本当にそうだろうか」など、頭の中でシミュレーションや反証をしながら話を聞き進められるでしょ。

ヤマト：なるほど。唐突に状況を説明されても、テーマが何なのかわからない状態だと、自分の考えをどういう方向性で組み立てていいかわからないってことですね。それに対して、テーマをまず提示されたうえで、次に状況を説明されたら、それに対して自分はどういう方向に考えを巡らせていけばいいのかがわかりますね。

Lily：聞き手にとって親切でしょ。

ヤマト：なるほど。相手を説得するには、まずテーマを述べるというのは、相手目線で考えても確かに効果的ですね。

Lily：しかも、効率よく的確に自分の主張を伝えられるわ。自分にもgoodよ。

ヤマト：なるほど。なんで難しく感じるんだろう。

Lily：順番に気を配るだけで、すごく簡単なことなのに、日本人は意外とできないことだと思うわ。能力の問題じゃないの。子どものころから話してきて慣れ親しんだ日本語の語順だもの、話の組み立て方の癖になっているのよ。

ヤマト：どんな癖ですかね？
あ、電話だ。ちょっと待ってください。
はい、日ノ本（ひのもと）です。お世話になっております。
は？　なるほど……あ、はい……、そうなんですね。……はい。確認します。

話の組み立て方

ヤマト：Lilyさん、お話の途中ですみませんでした。

Lily：どうかしたの？

ヤマト：Lilyさん、来週の水曜って動けます？

Lily：は？

ヤマト：あ、すみません。航空券の払い戻しってできましたっけ。

Lily：ヤマト、いったい何の話？　何を尋ねられているのかわからないわ。テーマは何？

ヤマト：ああ、そうか、テーマ、主題からですよね。えっと、テーマは、「火曜日に予定されていたADAM社とのミーティングは、日程変更が必要になった」ってことです。

Lily：なるほど。続けて。

ヤマト：理由は、プレゼンで使用するモニターに不具合があって修理が必要だからだそうです。水曜でもOKか訊いてきています。しかし、何しろ航空券が手配済みなので、まずは、変更可能か確認します。

Lily：了解。私は水曜に変更になってもOKよ。

ヤマト：さっそく、話の組み立て方について勉強になりました。いかに意識するかという問題ですね。えっと、テーマの後、何でしたっけ？もう一度お願いします。

Lily：簡単に言うと、

1）テーマ：伝えたいこと

2）理由：なぜなのか

3）具体例：たとえば

4）反証：If not

5）補足：ちなみに……

6）テーマのまとめ

ヤマト：なるほど。こうやって整理すると、意外とできそうです。

Lily：後は、本当にそれを発言できるかどうかね。今の報告を英語でやってみて。

ヤマト：スパルタですね。よし、やってみますよ。

1）テーマ：伝えたいこと

The meeting scheduled next Tuesday has to

be rescheduled.
火曜日に予定されていた会議は、予定変更が必要だ。

2）理由：なぜなのか
They found a problem with the monitor for the presentation. They are fixing it, but it will not be ready before Wednesday.
プレゼン用のモニターに不具合があり、修理しているが、水曜日まで完了しない。

3）具体例（代替え案など）：たとえば
If everyone is OK, we will postpone it on Wednesday. But, we need to check if our air tickets for the trip are changeable or refundable.
皆がOKであれば、水曜に延期する。ただし航空券の変更が可能か、要確認。

4）反証：If not
If not, we'll travel on Tuesday anyways and stay overnight.
もしダメなら、予定通り火曜に出発して前泊する。

5）補足：ちなみに……
Or, we will have the meeting online.
またはオンラインに変更する。

6）テーマのまとめ

We will move the meeting from Tuesday to Wednesday and rearrange the business trip accordingly.

火曜に予定していた会議は、水曜に変更し、出張計画を調整する。

Lily：Way to go！上出来よ！

ヤマト：今は順序のメモを見ながらですが、慣れるとすっとできるようになりますかね？

Lily：もちろんよ。

ヤマト：慣れが必要ですね。がんばらなくては。

交渉力を磨く

Lily：この際だから、さっきのトースターの件、交渉までやってみる？

ヤマト：交渉、Negotiationですね。よーし、トライしてみます。Lilyさん、交渉相手になってもらえますか？

Lily：喜んで。でも、一筋縄じゃ行かないわよ。覚悟してね。

ヤマト：手ごわそうだな。では、覚悟を決めて、僕から交渉を持ち掛けます。

Lily：Be my guest！

ヤマト：I have this great idea. What do you think

about having a toaster oven for your customers to use?
(いい考えがあります。お客様用にトースター・オーブンを設置するのはいかがですか?)

Lily：Why?（なぜ?）

ヤマト：Well, you sell all different kinds of bread and sweets.
(いろんな種類のパンやお菓子を販売してますよね)

Lily：Yes, we do.（そうですね）

ヤマト：Don't you think some of them tastes better when they are toasted?
(その中のいくつかの商品は、トーストするとおいしくなると思いませんか?)

Lily：I guess so. But, we already have microwave ovens.
(まあそうですね。でも電子レンジがありますから)

ヤマト：I know you do. But, for example, pancakes should taste better when toasted rather than heated up in a microwave.
(それは存じています。でもたとえば、パンケーキなんかは、電子レンジで温めるより、トースターで焼いたほうがおいしくなると思いませんか？）

Lily：That's true. But, we don't have much space.
（確かに。でも置くスペースがありません）

ヤマト：Well..., toaster ovens are not that big. I think you can easily make a tiny space on the counter for one.
（そうですね、ええっと、トースターってそれほど大きくはありません。工夫すればカウンターに置けると思います）

Lily：I wonder if our staff would have the time to attend and see how they are toasted.
（スタッフが焼き具合を見たりする時間があるかしら）

ヤマト：Well, customers themselves should take care of their own food.
（お客様ご自身で、ご自分の食べ物を見るようにすればいいと思います）

Lily：We don't want to receive complaints about burnt bread.
（焦げちゃったとか、そんなクレームは受けたくないです）

ヤマト：Maybe you can make it clear that all responsibilities are on customers who use the toaster.

（トースターのご使用については、店側は一切責任を負わないという点を利用者にクリアに伝えればいいと思います）

Lily：How about if our customers burn themselves?

（お客様がやけどしちゃったら？）

ヤマト：That, too. All responsibilities are on themselves.

（それも含め、お客様の自己責任でご利用いただく）

Lily：I see. But wouldn't it be a lot of extra work to clean the toaster every day?

（なるほどね。でも、毎日お掃除するのが大変じゃないかしら）

ヤマト：Well, I guess it will be an extra work for your staff. But, if it leads to customer satisfaction, I think it's worth it.

（そうですね。確かに、スタッフさんには余分なお仕事が増えてしまいますね。しかし、お客様の満足度を上げるという点では、やる価値はあると思います）

Lily：Bravo!!

ヤマト：わ、ありがとうございます。Bravoは英語ですか？

Lily：イタリア語よ。でもアメリカ人も「よくやった！」って言いたいときによく使うわ。ホントによくやったわ。なかなかいい切り返しだった。

ヤマト：合格ですか？

Lily：最後のIt's worth it. って、「その価値はある」という言い回しが効果的ね。よく知っていたわね。

ヤマト：観た映画に時々出てきたんです。It's worth it.（やる価値はある）、そして反対にIt's not worth it.（やるだけ無駄）とか。文法的にどういう構造の文なのか、実はさっぱりわかんないんですが、どんなシチュエーションで使うのかだけは、なんとなく感覚的にわかってきました。

Lily：It's worth it. というのは、ヤマトが言うように、かなり特殊な言い回しなんだけど、日常会話でもよく使われるの。こういうフレーズこそ、ネイティブが使っている場面を繰り返し体験することで、今度は自分が適切な場面で使えるようになるのよね。今回、この場面で使えたのは、ヤマトがちゃんとアンテナを立てて映画を観てきたって証拠ね。

ヤマト：Lilyさんのアドバイス通りです。

マインドの根底にあるもの

ヤマト：でも、この交渉は、Lilyさん相手の練習だからできたんだと思います。実際にこういうふうに交渉したりするのは、やはりなかなかハードルが高いですね。アメリカ人の子どもたちのように小さいころから経験してないし、慣れていないですから。

Lily：でもね、アメリカ人が物おじしないで発言できるのは、ただ経験が多くて慣れているからというだけじゃないと思うの。

ヤマト：え、他に何かあるんですか？

Lily：これは私の持論だけど、宗教観も大きいと思う。

ヤマト：宗教観ですか。アメリカ人の多くはキリスト教徒でしょうか。

Lily：そうね、80％近くが、プロテスタントやカトリックのキリスト教信者ね。ユダヤ教、仏教、イスラム教なんかは少数。

ヤマト：それと物おじしないことと、どういう関係があるのですか？

Lily：キリスト教って、ものすごくざっくりまとめてしまうと、「すべて神様の思し召し」なのよ。

ヤマト：どういうことですか？

Lily：たとえば、サッカーとか野球とかバスケットボールとか、何かチームスポーツをしている状況を想像してみて。あなたがミスをして、相手に得点されたとする。あなたはどう感じる？

ヤマト：そりゃあ、チームメイトに申し訳ないと思いますね。

Lily：日本人なら、ほぼ間違いなくそういうリアクションよね。チームメイトに「ごめん」って謝るでしょ？

ヤマト：おそらくそうでしょうね。

Lily：それでも失敗を繰り返したらどう？

ヤマト：そりゃもう空気が悪くなるでしょうから、よけいにテンパってしまいますね。それ、キリスト教徒は違うんですか？

Lily：キリスト教徒は、自分の失敗、つまり起こってしまったことについて、チームメイトに謝る前に、神様と対話するの。そして、自分のどこがいけなかったのかを考え、整理して、修正すべくまた頑張る。

ヤマト：チームメイトに申し訳ないと思わない？

Lily：まず一番には思わないはず。逆も同じ。いいプレイをしたら、まず神様に感謝する。

ヤマト：あ、外国人のサッカー選手が得点したり、野球選手がホームラン打ったりしたときに、十字を切ったり、天に投げキッスしたりする。あれですね？

Lily：そう。つまり、チームメイトが怒ってるだろうかとか、そういう周囲の反応を行動の基準にしないの。周りをあまり気にしないのは、そういうところがあると思う。

ヤマト：え、チームメイトが怒っているだろうな……と思わない？

Lily：そりゃ、多少は思うだろうけど、度合いで言えば日本人ほどは思わないはず。発言も同じ。発言するときに、こんなこと言ったら変だと思われるかな？　なんて思わないのよ。日本人は、どうしても「周囲の人がどう思うか」に重きを置くでしょ？　だから、発言にブレーキをかけてしまうんだと思うの。

ヤマト：確かに、他者の受け取り方に日本人は敏感ですね。しゃべりすぎるとうるさがられて嫌われるし、自由奔放な発言は眉をひそめられる。それこそ、子どものころから、ひとりよがりな発言や勝手な行動は慎むよう教育されていますから。学校では「人に迷惑をかけるな」って教えられます。これは、仏教の教えなのかな？

Lily：私も不思議に思って少し調べたけど、仏教の教えは、「人の迷惑になることをするな」ではなく、「人に感謝しよう」ということ。神道だって、八百万（やおよろず）の神に感謝しようという考え方よね。周囲の人間がどうのということには重きを置いていないはず。だけど、いつの間にか、他者の目を基準にしてしまうようになっているのが不思議よね。

ヤマト：確かにそうですね。

Lily：2021年のノーベル物理学賞を受賞した真鍋淑郎（まなべしゅくろう）博士が、ちょっと関連するようなことを印象的に語られていたわ。

ヤマト：なんとおっしゃったのですか？

Lily：博士はアメリカ在住なのだけど、記者からなぜ日本に帰らないのですか？　という質問をされて、こんなふうに答えられた。「日本に戻りたくない理由の１つは、周囲に同調して生きる能力がないからです」

ヤマト：つまり、日本では周りに同調しないと生きられない。そう暗におっしゃっているんですね。

Lily：多分そういうことね。博士は、周りを気にしながら研究生活をするのではなく、伸び伸びと自由に研究したかったのでしょうね。

ヤマト：自由な言動は疎ましがられるから、やりにくいってことですね。ということは、やはり、環境の違いが言動に影響するということか。「悪魔の英語術」というのは、つまりその違いを前提としたうえで、発言する力を養おうということですね。

Lily：そういうこと。しかも、何度も言うけど、アメリカでは大人しく黙っていると、意見がない人間だと軽んじられたり、ニーズに気づいてもらえなかったりで、損をすることも多いから。

ヤマト：アメリカには「沈黙は金なり」ってことわざはないのですか？

Lily：Silence is golden. ね。正確には、Speech is silver, silence is golden.（雄弁は銀、沈黙は金）ということわざなの。雄弁さより沈黙が勝るっていうイギリスのことわざよ。あと、Who knows most, speaks least. というのもあるにはある。直訳だと「たくさん知っている者ほどおしゃべりしない」となる。日本のことわざでは「能ある鷹は爪を隠す」に近いと思う。

ヤマト：やかましくまくし立てたり、自慢話や噂話がすぎるとか、文句や言い訳ばかり言うことへの戒めってことですね。

Lily：ええ。言うべきことを簡潔に言うことが能力の高さを示すという意味ね。寡黙であることと、単に恥ずかしがって黙ってしまうのとは違う。

ヤマト：やはり、自分の意見を述べることはとても大切なんですよね。

Lily：そうなの。日本人が控えめであることはみんな知っているんだけど、黙っていると、意見がないのか、あるのに黙っているのか、もしそうなら、なぜ黙ってるのか、アメリカ人には謎なわけよ。何を考えているのかわからなくて、不気味だって思われてしまうこともある。

ヤマト：それは日本人にとってはしっかり受け止めるべきポイントですね。「悪魔の英語術」を習得するには、やはりアメリカ人的な考え方を取り入れ、アメリカ人的に振る舞わないとダメなんでしょうね。

Lily：単に、英語を話すときにアメリカ人のように振る舞えばいいと言いたいわけじゃないのよ。

ヤマト：え？

Lily：ノーベル賞受賞の真鍋博士は、「周囲に同調して生きる」ことが難しいとおっしゃった。博士は、そもそもアメリカ生活が長いから、アメリカ人のように振る舞うことはできるのよ。でもそれが日本では無理なのは、その言動を受ける側のマインドがそれを簡単に受け入れないから。そこが問題を難しくしているのだと思うの。

ヤマト：受ける側？

Lily：そう、アメリカ人のような言動を受ける側になったとき、どう反応できるか。そこを鍛える必要もあると思うの。

ヤマト：受け手としてのマインドか。

Lily：アメリカ人がなぜそういう言動をするのか、その理由を知るってこと。相手のマインドの根底にあるものを知らないと、単に誤解してしまうでしょ。

ヤマト：マインドの根底にあるもの？

Lily：そう。アメリカ人がサッカーでミスをしてもチームメイトに謝らないのは、傲慢で無礼だからではなく、思慮深さに欠けているのでもない。考え方の根拠、つまりマインドの根底にあるものがそもそも違うからだということ。

ヤマト：なるほど。それはアメリカ人に限らず、ですね。それぞれの文化によって、そこに受け継がれてきたものが、その場所に生まれ育つ人のマインドの根底を築く。

Lily：その通り。だけど、それを知るって意外と難しいの。

ヤマト：そうですか？　アンテナを立てれば文化などの情報は、今どき簡単に手に入ります。インターネットとか、書籍とか。

Lily：そうね。でも、簡単だからこそ難しいこともある。

ヤマト：ん？　矛盾してませんか？

Lily：言い直すわ。情報が簡単に手に入るからこそ、何がどこまで本当で、何が単なるステレオタイプなのか、判断が難しくなる。知らない文化に歩み寄ろうとするとき、気を付けるべきは、安易にネット情報などで見るステレオタイプに流されないこと。

ヤマト：ステレオタイプに流されるって、どういうことでしょうか？

Lily：たとえば、「ケニア」と言われたら、ヤマトは何を連想する？　思い浮かぶ言葉を5つほど言ってみて。

ヤマト：ライオン、サバンナ、マサイ族、えっと、暑い、それから……ゾウ、キリンも！

Lily：「ケニア」と画像検索すれば、まさに今ヤマトが挙げたようなものがいっぱい出てくるでしょうね。いわゆる観光資源ってやつよね。でも、実際には、ケニアは農業国で、ケニア人の中には、野生のライオンを見たことがある人なんてほとんどいないらしいわよ。

ヤマト：へえ、そうなんだ！

Lily：首都ナイロビは、高層ビルが立ち並ぶ大都会よ。ケニアの人々は、農村や都会で普通の現代生活をしてるはずなのよ。でも、そういう姿はあまり私たちの目に入らない。

ヤマト：なるほど、ステレオタイプをそのままその国の文化だと思い込むと、実際との乖離があるってことですね。

Lily：そう。だから、たとえばだけど、「ユダヤ人はお金に細かい」とか、「イタリア人はのんきだ」とか、そういうステレオタイプを、自分がコミュニケーションを取る相手に対して、何の疑問もなくそっくり当てはめてしまうとよくない。

ヤマト：しかしですよ、アメリカ人は相対的に陽気で、日本人は相対的に礼儀正しいです。文化によっての系統というか、そういうものは実際にありませんか？

Lily：確かにステレオタイプには根拠があるでしょうね。私が言いたいのは、何も考えずに、ステレオタイプから好き嫌いを決めたり、是非の判断を安直に結論付けたりするのではなく、なぜそうなのかというところに少し心を砕くことができたら、理解がうんと深まるのではないかということよ。

ヤマト：なるほど。アメリカ人が陽気である背景、日本人が礼儀正しい理由などに考えを巡らせるってことですね。それこそが文化を知るってことか。

Lily：世界の様々な文化の中には、自分とは違うもののとらえ方、考え方をする人が存在する。そういうことを国際人としては理解すべきだと思うの。そうでないと、海外経験があるとかないとか以前に、思考的に井の中の蛙(かわず)になってしまうわ。

ヤマト：思考的に井の中の蛙……か。Lilyさん、うまいこと言いますね。

Lily：ありがとう。私は、日本が大好きよ。でもアメリカも大好きなの。日本人の思慮深さとアメリカ人のフレンドリーな明るさ、どちらかを取ってもう片方を捨てるのではなく、両方の良さが融合するといいなと思うの。

ヤマト：日本人が取り組む英語学習においては、そのどちらもが生かされてこそ「悪魔の英語術」だってことですね。

Lily：そうよ。ヤマトは親切で心優しいから、そのハートのままで、あまり周りを気にしすぎず、Go your own way！ あなた自身の我が道を行けばいい。

ヤマト：親切で心優しい？　いやあ、そんな僕は……、あ、しまった。ここは謙遜せずに素直に感謝ですね。Lilyさん、ありがとうございます。

Lily：My pleasure！

おわりに

読者の皆様、最後までお読みいただきありがとうございます。

英語習得にはすべきことが多く、学習者の悩みは尽きないと思います。私も最初は皆さんと同じ一学習者だったので、その悩みは身に染みてわかります。

私が出会った最初の英語は、ラジオから流れてくる洋楽の歌詞でした。小学校低学年のころだったと思います。意味はさっぱりわからなかったのですが、かっこいいロックのリズムに乗せ、流れるように繰り出されてくる言葉に、言い知れぬ憧れを抱いたものです。聞こえるがまま書き取った歌詞は、「ゾンワイ」「ア・ゲービュラ」「ワデーハ・トスタ」などなど、でたらめなものでしたが、何度もなりきりで歌っていたので、今も覚えています。この呪文のような言葉＝英語がわかるようになりたい。そして、いつか外国へ行き、その言葉で外国の人と話をしてみたい。そんな憧れがどんどん募り、いつしか「英語を学ぶこと」は、人生のミッションのようになっていました。

米国留学は、そのミッション達成のハイライトでした。英語が好きだったので勉強自体は苦ではなかったため、英文解釈や英文法は得意でした。英会話もしっかり学んで臨んだはずが、見事撃沈。What did you eat for dinner?（晩ごはん何食べた？）というシンプルな質問に、Yes! と元気よく答える……といったありさまで、自分の英語力の弱さに愕然としました。

そこから私は、英語で数えきれない失敗を繰り返し、大小多彩な恥をかきながら、英語という巨大な壁に立ち向かい続けて現在に至るわけです。しかし、振り返ると、そうやってかいた恥の数だけ成長してきたのかなと思います。人間は恥ずかしい思いをすると、二度と失敗するまいとしっかり「インプット」するものです。恥をかきたくないから、つい沈黙してしまいがちですが、恥をかくことを恐れず、どんどん英語のチャレンジをしていくと、必ずそこには学びがあるはずです。チャレンジしないなら恥こそかきません、しかし、その地点から前進することもないと思うのです。

英語は言語の1つにすぎません。日本人は日本語という高度な言語をマスターしているので、そもそも英語ができないことを卑下したり、恥じたりする必要などないのです。未知なことを知る楽しみとして学習をエンジョイすればよいと思います。楽しみつつ長く継続することで、インプットは重なってゆくものです。

先日、車のラジオから懐かしい曲が流れてきました。「ゾンワイ」「ア・ゲービュラ」「ワデーハ・トスタ」と、子どものころに歌っていたあの歌です。ところがその歌は、今の私の耳には、「reason why」「I gave you love」「Why did it have to stop」としか聞こえなくなっているではないですか。もう呪文ではなく、ちゃんと意味を成す言葉で語りかけてくるのです。継続すればちゃんと成長するもんだな…… I've come a long way（長い道のりをここまできたか）と何とも感慨深く、泣く場面でもないのに少しうるっときました。

意味を成さなかった音声が完全な意味を持って脳に響くという経験。これは言葉にできない感動です。継続すればやってくるそのときを、今勉強中の読者の皆様にもいつか味わっていただきたいです。

末筆ながら、本書執筆にあたり、忍耐強くお付き合いくださった編集者の薬師寺達郎さんに感謝申し上げます。そして、見守ってくれた夫と惜しみなく癒しを与えてくれた3匹のワンコたちに心から感謝です。

黒田莉々　くろだ りり
英語コミュニケーション研究家。SNS英語アドバイザー。京都府生まれ。高校卒業後、米国ペンシルバニア州のアレゲニー大学へ正規留学。社会学・文化人類学を専攻、ファインアート副専攻として学位を取得し卒業。大阪芸術大学付属大阪美術専門学校にて、英語、英会話、基礎芸術（造形、デッサン）の授業を長年担当し、英米の芸術系大学への留学コースのアドバイザーも務めた。ビジュアルアーティスト、NFTアーティストでもある。

悪魔の英語術（あくまのえいごじゅつ）
2022年10月12日　第1刷発行　　　インターナショナル新書108

著　者　黒田莉々（くろだりり）
発行者　岩瀬 朗
発行所　株式会社 集英社インターナショナル
〒101-0064 東京都千代田区神田猿楽町1-5-18
電話 03-5211-2630
発売所　株式会社 集英社
〒101-8050 東京都千代田区一ツ橋2-5-10
電話 03-3230-6080（読者係）
03-3230-6393（販売部）書店専用
装　幀　アルビレオ
印刷所　大日本印刷株式会社
製本所　大日本印刷株式会社

ISBN978-4-7976-8108-6 C0282
定価はカバーに表示してあります。

インターナショナル新書

093
英語の新常識
杉田 敏

英語の常識は変わった！ ＮＨＫ放送史上、最長寿の語学番組で常に最新の英語を伝えてきたカリスマ講師、集大成の一冊。ネット社会、多様性、ポストコロナ時代に対応した、まさに今生まれつつある英語を教える。

109
プーチン戦争の論理
下斗米伸夫

「特別軍事作戦」という名の「プーチンの戦争」が、世界を震撼させている。なぜロシアは、ウクライナへ侵攻したのか？ ロシア研究の第一人者が、新たな「文明の衝突」を解説。入門書にして決定版の一冊。

110
愛を見つめて
高め合い、乗り越える
ハビエル・ガラルダ

男女の愛、家族愛、友愛――滞日60年を超えるカトリックの神父が、哲学者、神学者の観点から愛を論じる。コロナ、災害、戦争など将来への不安が高まるなか、互いを愛し、高め合うために必要な方法をともに考える。

111
たくましい数学
九九さえ出来れば大丈夫！
吉田 武

野心的な数学独学書。xやaなどの文字や公式を用いることなく、数字そのものと170点を超える図表によって高校数学を概観。九九から始めて大学入試問題に至るまで、テーマ間の関連と類似を基に話を進める。